SUPER FACILE

Bols repas pour soirs de semaine

Émilie Laraison

SOLAR
EDITIONS

ÉDITO

L'idée d'associer dans un même bol tous les éléments d'un repas sain et équilibré n'est pas nouvelle : le Poke bowl, plat typique de la gastronomie hawaïenne, qui combine poisson mariné et légumes frais, en est l'exemple.

Alors vous aussi, pour manger plus léger le soir, vous offrir des plats variés, apprivoiser les mariages des saveurs sans tout mélanger : adoptez les bols repas !

Le soir on n'a pas toujours le temps de se lancer dans des recettes compliquées, on veut faire plaisir à toute la famille mais aussi privilégier une alimentation saine et équilibrée.

Les bols repas c'est rapide et c'est surtout modulable en fonction des envies et des besoins de chacun. Un ado qui doit être rassasié, des enfants qui boudent les légumes et un papa qui surveille sa ligne ? On met un peu plus de poulet dans un bol, et un peu plus de carottes dans les autres, un peu moins de sauce dans le dernier.

Pour un dîner tendance, simple, rapide et pratique, succombez vous aussi aux bols repas avec des recettes exotiques, light, healthy, cocooning, énergétiques et même kids friendly !

... super facile !

SOMMAIRE

POKE BOWL
thon

Pour 4 personnes

Préparation : 20 min

Cuisson : 10 min

400 g de thon

400 g de nouilles de riz

2 carottes

1 avocat

2 cuil. à soupe
d'huile de sésame

1 cuil. à soupe de sauce soja

Le jus de 1 citron vert

Quelques brins de ciboulette

Graines de sésame

Sel

Notes : ....

....

....

1 Pelez
les carottes, coupez-les en petits bâtonnets et faites-les cuire 5 minutes dans une poêle avec 1 cuillerée à soupe d'huile de sésame et la sauce soja. Ajoutez 2 cuillerées à soupe d'eau et laissez cuire à feu doux 5 minutes.

2 Faites cuire
les nouilles de riz 10 minutes dans de l'eau bouillante salée, égouttez-les et passez-les sous l'eau froide. Versez-les dans un saladier, puis ajoutez la moitié du jus de citron vert et 1 cuillerée à soupe d'huile de sésame.

3 Coupez
l'avocat en deux, ôtez le noyau, pelez-le, puis coupez-le en tranches fines. Coupez le thon en petits cubes.

4 Disposez
dans des bols les nouilles de riz, le thon, les carottes et l'avocat. Parsemez de ciboulette ciselée et de graines de sésame.

*Le Poke bowl, plat **traditionnel hawaïen** a récemment conquis les réseaux sociaux avec ses **couleurs vives** et la **fraîcheur** de son poisson mariné.*

Vous pouvez aussi **ajouter** des cacahuètes concassées pour le côté **croquant**.

POKE BOWL
Saumon

Pour 4 personnes
Préparation : 20 min

Cuisson : 15 min

Repos : 30 min

400 g de saumon

300 g de riz blanc

200 g de chou rouge

1 concombre

1 oignon

4 cuil. à soupe
de vinaigre de riz

1 cuil. à soupe de graines
de sésame noir

1 cuil. à soupe d'huile d'olive

2 pincées de sucre

Quelques feuilles
de coriandre

Sel

1 Rincez
le riz à l'eau froide,
faites-le reposer dans la
passoire 20 minutes et
faites-le cuire dans 40 cl d'eau
salée. Arrêtez la cuisson au
bout de 15 minutes, couvrez
et laissez reposer 10 minutes.
Mélangez-le au vinaigre de riz
et ajoutez le sucre.

2 Lavez
le chou rouge et
émincez-le très finement.
Lavez le concombre et
coupez-le en fines lamelles.
Lavez, épluchez l'oignon
et émincez-le. Coupez le
saumon en dés.

3 Dressez
les bols avec le riz, le chou
rouge, le concombre, les dés
de saumon. Ajoutez l'oignon
émincé, 1 filet d'huile et
saupoudrez de coriandre
ciselée et de graines
de sésame noir.

Si vous n'aimez pas la coriandre, vous pouvez la remplacer par de la ciboulette.

TOFU
BBQ

Pour 4 personnes
Préparation : 20 min
Cuisson : 20 min

400 g de tofu

400 g de blé type Ebly®

300 g de brocolis

4 tomates

1 oignon rouge

2 cuil. à soupe de ketchup

1 cuil. à soupe de sauce soja

2 cuil. à soupe d'huile d'olive

Sel, poivre

Notes : ....

....

....

1 Préparez une marinade en mélangeant le ketchup, la sauce soja et 1 cuillerée à soupe d'huile d'olive. Coupez le tofu en petits dés et ajoutez-le à la marinade. Laissez reposer le temps de préparer les autres ingrédients.

2 Faites cuire les brocolis à la vapeur 15 minutes. Faites cuire le blé 10 minutes dans de l'eau bouillante salée.

3 Pelez et coupez l'oignon en lamelles. Lavez les tomates et coupez-les en morceaux.

4 Versez le reste d'huile d'olive dans une grande poêle et ajoutez la moitié des oignons, mélangez avec une cuillère en bois. Augmentez le feu, ajoutez les tomates et laissez cuire 5 minutes en mélangeant régulièrement. Dans une autre poêle, faites dorer les morceaux de tofu pendant 5 minutes.

5 Servez dans des bols le blé, les dés de tofu, les brocolis, la fondue de tomate. Ajoutez les lamelles d'oignon rouge restantes.

Cuisiné ainsi, le **tofu** a beaucoup de goût et devrait séduire les plus **réticents**.

Pour 4 personnes

Préparation : 1 h

Cuisson : 10 min

Pour les falafels :

250 g de pois chiches
en boîte égouttés

1 gousse d'ail

1 oignon nouveau

10 brins de persil

1 cuil. à café de cumin

1 cuil. à soupe bombée
de farine

Huile pour frire

Sel, poivre

Pour le taboulé :

2 cuil. à soupe de boulgour

1 botte de persil

1 botte de menthe

Le jus de 1 citron

4 tomates

Huile d'olive

Pour la sauce :

2 yaourts nature

Le jus de 1 citron

2 cuil. à soupe d'huile d'olive

Sel, poivre

Pour servir :

2 tomates vertes

12

BOLS VENUS D'AILLEURS

BOL LIBANAIS

1 Faites tremper
le boulgour 1 heure dans le double de son volume d'eau froide salée, puis égrainez. Lavez et ciselez la menthe et le persil. Lavez et coupez les tomates en petits morceaux. Ajoutez les herbes et les tomates au boulgour avec 2 cuillerées à soupe d'huile d'olive et le jus de citron.

2 Réalisez
les falafels pendant que trempe le boulgour. Pelez l'ail et l'oignon. Mixez ail, oignon, pois chiches égouttés, persil, cumin et farine. Salez et poivrez. Roulez des boules avec vos mains, puis faites-les cuire dans une poêle avec de l'huile de friture chaude 10 minutes en les retournant régulièrement.

3 Réalisez
une sauce au yaourt en mélangeant les yaourts nature, le jus de citron, l'huile d'olive, du sel et du poivre.

4 Servez
les différentes préparations avec des quartiers de tomate verte.

Si vous ne trouvez pas
de **tomates vertes**,
vous pouvez **utiliser**
des rouges ou les remplacer
par une salade de **concombre**.

CREVETTES
Hawaï

Pour 4 personnes

Préparation : 15 min

Cuisson : 15 min

400 g de grosses crevettes

1/2 petit ananas

240 g de quinoa

1 poivron rouge

Quelques feuilles
de coriandre

1 cuil. à café de quatre-épices

1 filet d'huile d'olive

Sel, poivre

1 Pelez
l'ananas et coupez
des petits morceaux.

2 Rincez
le quinoa et versez-le
dans 1 1/2 fois son volume
d'eau bouillante salée, baissez
à feu doux et faite cuire
pendant 9 minutes. Coupez
le feu, couvrez et laissez
reposer.

3 Lavez
le poivron et coupez-le
en tranches. Faites-le revenir
10 minutes dans une poêle
avec l'huile d'olive. Salez et
poivrez. Réservez. Ajoutez
les crevettes dans la poêle et
le quatre-épices et faites-les
sauter 5 minutes.

4 Servez
dans des bols le quinoa,
les crevettes, le poivron,
l'ananas. Ajoutez la coriandre
rincée et séchée.

Notes : ....

....

....

Si vous aimez les saveurs *épicées*, vous pouvez
rajouter un petit *piment rouge* émincé.

BOL THAÏ

Pour 4 personnes
Préparation : 15 min
Cuisson : 20 min

3 blancs de poulet

400 g de nouilles

200 g de pois gourmands

200 g de carottes

2 cuil. à soupe
de cacahuètes hachées

1 cuil. à soupe d'huile d'olive

1 cuil. à soupe de sauce
nuoc-mâm

1 petit piment

Sel

1 Pelez
les carottes et coupez-les en demi-rondelles, faites-les cuire 10 minutes dans de l'eau bouillante, puis égouttez.

2 Hachez
les blancs de poulet avec un hachoir à viande ou avec un gros couteau.

3 Faites cuire
les nouilles dans un grand volume d'eau salée le temps indiqué sur l'emballage, puis égouttez-les.

4 Rincez
les pois gourmands. Faites-les cuire dans une grande poêle avec l'huile d'olive et 4 cuillerées à soupe d'eau. Réservez, puis faites revenir les carottes dans la même poêle quelques minutes. Réservez et faites sauter le poulet haché.

5 Servez
dans des bols, assaisonnez avec du nuoc-mâm et saupoudrez de cacahuètes hachées et, selon votre goût, d'un peu de piment haché.

Notes : ....

....

....

*Vous pouvez **remplacer** le nuoc-mâm par de la **sauce soja**.*

BOL BIBIMBAP

Pour 4 personnes

Préparation : 20 min

Cuisson : 20 min

200 g de bœuf haché

240 g de riz

4 œufs

150 g de haricots verts

1 carotte

125 g de feuilles d'épinards

1 gousse d'ail

1 petit morceau de gingembre

3 cuil. à soupe d'huile d'olive

Sel, poivre

Notes : ....

....

....

1 Pelez
la carotte et coupez-la en petits morceaux. Faites-la cuire 10 minutes dans de l'eau bouillante salée (ou à la vapeur).

2 Lavez
les haricots verts, équeutez-les et coupez-les en quatre. Rincez le riz et faites-le cuire avec les tronçons de haricots verts dans de l'eau bouillante salée, puis égouttez-le.

3 Rincez
les épinards, faites-les cuire dans une grande poêle avec 1 cuillerée à soupe d'huile d'olive pendant 5 minutes, ajoutez l'ail haché, salez et poivrez et réservez. Sans laver la poêle, faites-la chauffer de nouveau à feu vif et versez le bœuf haché et le gingembre haché. Faites cuire 3 minutes, salez et poivrez.

4 Disposez
les ingrédients dans des bols.

5 Faites cuire
4 œufs au plat dans une grande poêle avec l'huile restante et ajoutez-les dans les bols.

Le bibimbap est un plat typique coréen composé d'un mélange de riz, de viande et de légumes.

NEMS
façon bo bun

Pour 4 personnes
Préparation : 20 min
Cuisson : 10 min
Repos : 1 min

300 g de vermicelles de riz

100 g de pousses de soja

1 petite salade type sucrine

4 nems

4 tomates cocktail

2 cuil. à soupe de cacahuètes

Sauce nuoc-mâm

Le jus de 1 citron vert

Sel

1 Réchauffez
les nems au four pendant 10 minutes.

2 Faites bouillir
un grand volume d'eau salée. Plongez-y les vermicelles de riz hors du feu pendant 1 minute. Égouttez-les et versez-les dans un grand volume d'eau froide pour arrêter la cuisson.

3 Lavez
la salade, puis émincez-la avec un gros couteau. Rincez les pousses de soja. Lavez les tomates et coupez-les en quartiers.

4 Disposez
dans des bols les vermicelles de riz, les nems coupés en quatre, la salade, les tomates, les pousses de soja. Servez avec les cacahuètes hachées et la sauce nuoc-mâm mélangée au jus de citron vert.

Notes : ....

....

....

Pour un bol encore plus gourmand, ajoutez des lamelles de bœuf sautées à la poêle ou de grosses crevettes.

PORC
façon banh mi

Pour 4 personnes
Préparation : 15 min
Cuisson : 10 min

1 concombre

4 carottes

400 g d'escalopes de porc

1 gousse d'ail

1 petit morceau de gingembre

1/2 baguette

1 botte de coriandre

Le jus de 1/2 citron vert

1 cuil. à soupe d'huile de
sésame

1 cuil. à soupe de sauce soja

1 cuil. à soupe de nuoc-mâm

Sel, poivre

Notes : ....

....

....

1 Lavez le concombre et râpez-le grossièrement. Pelez les carottes et râpez-les grossièrement. Assaisonnez le concombre et les carottes avec l'huile de sésame, le jus de citron vert, salez et poivrez.

2 Coupez les escalopes de porc en lanières, faites-les sauter à feu vif dans une grande poêle. Ajoutez la sauce soja et la sauce nuoc-mâm, l'ail et le gingembre hachés. Salez et poivrez.

3 Coupez la baguette en petits tronçons. Lavez et effeuillez la coriandre.

4 Servez les différents ingrédients dans des bols.

Le banh mi est un sandwich vietnamien réalisé avec de la baguette.

BOL MEXICAIN

Pour 4 personnes
Préparation : 20 min
Cuisson : 10 min

Une vingtaine de tacos

250 g de haricots rouges en boîte

4 tomates

1 oignon

300 g de blancs de poulet

100 g de cheddar

2 cœurs de sucrine

1 avocat

Quelques feuilles de coriandre

1 cuil. à café d'herbes de Provence

1 cuil. à café de cumin

1/2 cuil. à café de paprika

1 1/2 cuil. à soupe d'huile d'olive

1 cuil. à soupe de sucre

Sel, poivre

Notes : ....
....
....

1 Lavez
les sucrines et émincez-les. Pelez l'oignon et hachez-le. Lavez les tomates, coupez-les en petits morceaux.

2 Faites revenir
l'oignon avec 1 cuillerée à soupe d'huile d'olive dans une grande poêle. Augmentez la puissance du feu, puis versez les tomates, ajoutez le sucre, les herbes de Provence, le cumin et le paprika salez et poivrez. Ajoutez les haricots rouges égouttés et rincés et laissez chauffer 5 minutes à feu doux.

3 Pelez
l'avocat, écrasez-le avec une fourchette, salez et poivrez.

4 Saisissez
les blancs de poulet dans une poêle avec l'huile d'olive restante, salez et poivrez. Coupez-les en lamelles.

5 Servez
les haricots rouges avec le poulet, la salade, l'avocat, les tacos et du cheddar râpé. Parsemez de quelques feuilles de coriandre.

Si vous le souhaitez, vous pouvez remplacer les tacos par un peu de riz blanc.

BOL CHINOIS

Pour 4 personnes

Préparation : 10 min

Cuisson : 10 min

250 g de riz blanc

2 tranches de jambon blanc

200 g de petits pois

2 œufs

1 oignon nouveau

5 brins de ciboulette

2 cuil. à soupe de sauce nuoc-mâm

1 cuil. à soupe d'huile de tournesol

Sel, poivre

Notes : ....

....

....

1 Faites cuire
le riz dans un grand volume d'eau salée et égouttez-le.

2 Faites cuire
les petits pois dans un grand volume d'eau salée.

3 Coupez
le jambon en lanières. Battez les œufs dans un bol, salez et poivrez. Faites cuire dans une poêle avec l'huile puis coupez cette omelette en lanières. Émincez l'oignon nouveau.

4 Disposez
tous les ingrédients dans des bols, poivrez, parsemez de ciboulette ciselée et servez avec la sauce nuoc-mâm.

Cette recette de riz cantonnais déstructuré permet à chacun de choisir la quantité de chaque ingrédient qu'il souhaite manger.

BOL INDIEN

Pour 4 personnes

Préparation : 20 min

Cuisson : 35 min

100 g de lentilles

200 g de riz blanc

400 g de pousses d'épinard

1 aubergine

1 oignon

1 gousse d'ail

1/2 cuil. à café de pâte de curry jaune

3 cuil. à soupe d'huile d'olive

Sel, poivre

1 Pelez
et hachez l'oignon et faites-le revenir dans une casserole avec 1 cuillerée à soupe d'huile. Ajoutez les lentilles, le curry, mélangez avec une cuillère en bois. Couvrez d'eau en dépassant les lentilles de 2 cm et laissez cuire 15 minutes.

2 Lavez
l'aubergine et coupez-la en dés. Faites-la sauter avec 1 cuillerée à soupe d'huile et l'ail haché. Salez, poivrez, baissez à feu doux et laissez cuire 20 minutes.

3 Faites cuire
le riz dans un grand volume d'eau salée.

4 Faites cuire
les épinards dans une poêle avec le reste d'huile. Salez et poivrez.

5 Servez
les différents ingrédients dans des bols, les uns à côté des autres.

Notes :

Pour un curry plus doux, utilisez de la poudre de curry non piquante.

BOL GREC

Pour 4 personnes
Préparation : 15 min

16 tomates cerises

200 g de feta

1 concombre

12 olives noires

Quelques feuilles de basilic

Huile d'olive

4 petits pains pita

1 Lavez
les tomates cerises et coupez-les en deux. Lavez le concombre et coupez-le en petits dés.

2 Disposez
dans des bols les tomates cerises, les dés de concombre, la feta. Parsemez d'olives noires hachées, de basilic et d'une très bonne huile d'olive.

3 Servez
avec des pains pita légèrement grillés au toaster.

Notes : ....

....

....

Cette salade grecque en bol constitue un repas équilibré, rapide et dépaysant.

BOL ITALIEN

Pour 4 personnes

Préparation : 30 min

Cuisson : 15 min

300 g de spaghettis

2 escalopes de veau

1 œuf

4 tomates

1 gousse d'ail

4 poignées de roquette

3 cuil. à soupe de parmesan
râpé + un peu pour servir

2 cuil. à soupe de chapelure

1 cuil. à soupe de farine

Huile d'olive

Sel, poivre

1 Sortez
3 assiettes creuses : une pour la farine, une pour l'œuf battu salé et poivré et une pour le mélange chapelure-parmesan.

2 Trempez
les escalopes dans la farine, puis dans l'œuf et enfin dans le mélange chapelure-parmesan. Faites-les cuire 5 minutes dans une poêle avec 1 cuillerée d'huile bien chaude, puis coupez-les en lamelles.

3 Lavez
les tomates et coupez-les en petits dés. Pelez et hachez l'ail. Faites chauffer une grande poêle avec 1 cuillerée à soupe d'huile d'olive, versez les tomates en dés et l'ail. Faites cuire 5 minutes.

4 Faites cuire
les spaghettis dans un grand volume d'eau salée. Lavez et essorez la roquette.

5 Servez
les différents ingrédients avec de la roquette et du parmesan râpé.

Notes : ....

....

....

Vous pouvez ajouter du *basilic* à votre *sauce tomate* express ou le rajouter en *déco* sur les bols.

BOL ANTILLAIS

Pour 4 personnes

Préparation : 20 min

Cuisson : 10 min

8 petits filets de dorade

200 g de riz complet

2 bananes plantains

2 sucrines

1 oignon jeune

1/2 concombre

2 cuil. à soupe
de crème fraîche

2 cuil. à soupe
de yaourt nature

Le jus de 1 citron

3 cuil. à soupe d'huile d'olive

1 cuil à soupe de vinaigre
de vin

1 cuil. à café de baies roses

Sel, poivre

Notes : ....

....

....

1 Faites cuire
le riz dans un grand volume d'eau bouillante salée.

2 Disposez
les filets de dorade dans un plat allant au four, ajoutez quelques gouttes d'huile d'olive et enfournez 10 minutes à 180 °C (th. 6).

3 Pelez
les bananes et coupez-les en rondelles. Faites-les cuire 10 minutes dans une poêle avec 1 cuillerée à soupe d'huile d'olive en remuant régulièrement.

4 Lavez
la salade, coupez-la en petits morceaux et assaisonnez avec l'huile d'olive restante, le vinaigre de vin, salez et poivrez.

5 Réalisez
la sauce : lavez et râpez le demi-concombre. Ajoutez la crème, le yaourt, le jus de citron, salez et poivrez. Lavez et hachez l'oignon, ajoutez-le à la sauce.

6 Disposez
dans des assiettes creuses les filets de dorade, le riz, la salade, les bananes. Saupoudrez de baies roses grossièrement concassées et accompagnez de sauce.

Les bananes plantains sont également délicieuses en purée ou en gratin.

TOMATES
colorées, carottes, riz et roquette

Pour 4 personnes

Préparation : 20 min

Cuisson : 20 min

3 tomates de différentes couleurs

4 carottes

4 poignées de roquette

200 g de riz complet

2 cuil. à soupe d'huile d'olive

1 cuil. à soupe de graines de sésame

1 cuil. à café de vinaigre balsamique

Sel, poivre

Notes : ....

....

....

1 Pelez
les carottes, coupez-les en morceaux et faites-les cuire 20 minutes dans de l'eau bouillante salée. Égouttez, mixez, poivrez et ajoutez les graines de sésame.

2 Faites cuire
le riz dans un grand volume d'eau bouillante salée.

3 Lavez
les tomates et coupez-les en morceaux. Lavez et essorez la roquette.

4 Servez
les différents ingrédients dans des bols, assaisonnez la roquette et les tomates avec un peu d'huile d'olive et de vinaigre balsamique.

Il est important de conserver des céréales dans les plats light. Ici, le riz joue un rôle rassasiant et apporte de l'onctuosité au bol.

MELON – PASTÈQUE,
concombre et feta

Pour 4 personnes

Préparation : 15 min

1 melon

1/4 de pastèque

1 concombre

200 g de feta

1 poignée de jeunes pousses de salade

1 filet d'huile d'olive

Sel, poivre

1 Coupez
la pastèque en petits triangles. Lavez le concombre et coupez-le en petits cubes. Coupez le melon en deux, ôtez les pépins et, avec une cuillère parisienne, réalisez de petites billes.

2 Lavez et triez
la salade.

3 Disposez
dans les bols les différents ingrédients, parsemez de feta, ajoutez l'huile d'olive, salez et poivrez.

Notes : ....

....

....

La puissance de la feta apporte du caractère aux fruits d'été que sont le melon et la pastèque. Si vous aimez le sucré-salé, vous allez adorer.

HARICOTS VERTS,
crevettes, radis et sarrasin

Pour 4 personnes

Préparation : 15 min

Cuisson : 10 min

450 g de haricots verts

400 g de grosses crevettes

Une dizaine de radis

250 g de sarrasin

Le jus de 1/2 citron

1 cuil. à café de piment d'Espelette

1 cuil. à soupe d'huile d'olive

Sel

1 Équeutez les haricots verts et faites-les cuire 10 minutes dans un grand volume d'eau bouillante salée.

2 Faites cuire le sarrasin dans deux fois son volume d'eau salée pendant 10 minutes.

3 Faites sauter les crevettes dans une poêle avec l'huile d'olive. Ajoutez le piment d'Espelette et le jus de citron.

4 Lavez les radis et coupez-les en rondelle.

5 Servez les différents ingrédients dans des bols.

Notes : ....

....

....

Un bol très simple **déclinable** avec de la **viande** ou du **poisson** pour les **soirs** de semaine où vous manquez de temps pour la **préparation** du dîner. Le **sarrasin** donne une touche originale à votre **repas**.

CHOUX COLORÉS,
pomme, noix et raisins

Pour 4 personnes

Préparation : 20 min

Cuisson : 10 min

1/4 de chou rouge

1/4 de chou blanc

1 pomme Granny Smith

250 g de riz complet

50 g de raisins secs

20 g de noix

2 cuil. à soupe d'huile de tournesol

1 cuil. à soupe de vinaigre de cidre

Quelques brins de persil

Sel, poivre

Notes : ....

....

....

1 Faites cuire
le riz dans un grand volume d'eau bouillante salée, puis égouttez-le.

2 Lavez
et émincez le chou rouge et le chou blanc très finement avec un gros couteau ou au robot.

3 Lavez
la pomme, épépinez-la et coupez-la en petits cubes.

4 Disposez
les ingrédients dans des bols, ajoutez les noix hachées et les raisins secs. Parsemez de persil ciselé.

5 Mélangez
l'huile de tournesol et le vinaigre de cidre, salez et poivrez et versez sur les choux.

Pour une recette un peu plus gourmande, ajoutez un peu de bacon grillé.

LENTILLES,
haddock et brocolis

Pour 4 personnes

Préparation : 20 min

Cuisson : 25 min

500 g de brocolis

300 g de haddock

240 g de lentilles

1 oignon jeune

1 bouquet de coriandre

1 cuil. à soupe d'huile d'olive

Le jus de 1/2 citron

Sel, poivre

1 Rincez
les lentilles et faites-les cuire 20 minutes dans deux fois leur volume d'eau, puis égouttez. Salez et poivrez, ajoutez l'huile d'olive et le jus de citron.

2 Enlevez
la peau du haddock et coupez-le en petits cubes.

3 Lavez
le brocoli et faites-le cuire à la vapeur pendant 5 minutes. Salez et poivrez.

4 Disposez
les ingrédients dans des bols. Lavez l'oignon jeune, émincez-le. Parsemez les bols de coriandre ciselée et d'oignon jeune émincé.

Notes : ....

....

....

Voici un **plat light**, mais très savoureux. Le haddock est **délicieux** cru, mais si vous préférez vous pouvez le faire **cuire**.

SEMOULE
de chou-fleur, poulet, champignons — épinards

Pour 4 personnes

Préparation : 15 min

Cuisson : 10 min

1 chou-fleur

300 g de blancs de poulet

250 g de champignons de Paris

4 poignées de pousses d'épinards

1 oignon rouge

1 gousse d'ail

Quelques gouttes de jus de citron

1 cuil. à soupe d'huile de sésame

Sel, poivre

Huile d'olive

Notes : ....

....

....

1 Lavez, effeuillez et râpez le chou-fleur en semoule avec une râpe à gros trous. Faites cuire à la vapeur pendant 5 minutes. Salez, poivrez et ajoutez l'huile de sésame et le jus de citron.

2 Coupez les blancs de poulet en lamelles et faites-les griller dans une poêle. Salez et poivrez. Réservez.

3 Nettoyez et émincez les champignons, faites-les cuire dans la poêle avec 1 filet d'huile d'olive. Ajoutez la gousse d'ail hachée en fin de cuisson.

4 Servez les différents ingrédients avec les jeunes pousses d'épinards rincées à l'eau claire et l'oignon rouge émincé.

Si vous préférez, vous pouvez également faire cuire rapidement les pousses d'épinards.

Végétarien

PURÉE
de petits pois, haricots noirs, œufs et tomates

Pour 4 personnes
Préparation : 20 min
Trempage : 8 h
Cuisson : 1 h

600 g de petits pois

200 g de haricots noirs

2 œufs

8 tomates

1 échalote

1 cuil. à soupe
de crème fraîche légère

1/2 cuil. à café de sucre
en poudre

Quelques gouttes de jus
de citron

2 brins d'estragon

1 filet d'huile d'olive

Sel, poivre

1 Faites tremper
les haricots noirs
pendant 8 heures dans un
grand volume d'eau froide.
Égouttez-les et faites-les
cuire 1 heure dans trois fois
leur volume d'eau froide non
salée. Salez en fin de cuisson.

2 Faites cuire
les petits pois
15 minutes dans une
casserole d'eau salée.
Égouttez, mixez avec la crème
fraîche et le citron, salez et
poivrez.

3 Pelez
et hachez l'échalote.
Lavez et concassez les
tomates, versez dans
une grande poêle bien
chaude avec l'huile d'olive.
Faites cuire 5 minutes en
mélangeant avec une cuillère
en bois. Salez et poivrez,
ajoutez le sucre en poudre.

4 Faites cuire
les œufs dans l'eau
bouillante pendant 8 minutes
et passez-les sous l'eau
froide avant de les écaler
délicatement.

5 Servez
les différents ingrédients
avec de l'estragon ciselé.

Pour **gagner** du temps, vous pouvez **remplacer**
les haricots **noirs** par des haricots **rouges** en boîte
que vous aurez préalablement **rincés.**

ASPERGES,
crabe et quinoa

Pour 4 personnes

Préparation : 15 min

Cuisson : 20 min

Une vingtaine d'asperges

200 g de chair de crabe

150 g de quinoa

1 citron

1 courgette

1 cuil. à soupe de graines
de sésame noir

Sel, poivre

1 Lavez
la courgette, coupez-la en petits cubes.

2 Rincez
le quinoa et faites-le cuire dans une fois et demie son volume d'eau bouillante salée pendant 8 minutes. Ajoutez les courgettes. Coupez le feu, couvrez et laissez gonfler pendant 5 minutes. Salez et poivrez.

3 Coupez
le talon des asperges, pelez-les et rincez-les. Faites-les cuire à la vapeur pendant 10 minutes.

4 Servez
les différents ingrédients avec un quartier de citron, poivrez et saupoudrez de graines de sésame noir.

Notes : ....

....

....

Les graines de sésame noir décorent agréablement vos bols et apportent une touche exotique à cette recette.

TAGLIATELLES
de carottes et courgettes

Pour 4 personnes

Préparation : 20 min

Cuisson : 1 h

2 carottes

1 courgette

300 g de thon cuit

150 g d'épeautre

1 filet d'huile d'olive

1 cuil. à café de baies roses

5 brins de persil

Sel

1 Rincez
l'épeautre et faites-le cuire 1 heure dans deux fois son volume d'eau salée, puis hors du feu, couvrez et laissez gonfler 10 minutes.

2 Lavez
la courgette, pelez les carottes. Taillez des tagliatelles de carottes et de courgettes et faites-les cuire 5 minutes à la vapeur.

3 Disposez
l'épeautre, les tagliatelles de légumes et le thon dans des bols. Ajoutez l'huile d'olive, des baies roses et parsemez de persil ciselé.

Notes : ....

....

....

Les **tagliatelles** de légumes ont l'avantage de **cuire** très vite. Elles sont aussi **délicieuses** crues et apportent du **croquant** à vos plats.

BETTERAVE
et quinoa rouge au fromage de chèvre

Pour 4 personnes
Préparation : 15 min
Cuisson : 10 min

1 betterave cuite

150 g de quinoa rouge

200 g de fromage
de chèvre frais

4 poignées de mâche

2 cuil. à soupe d'huile d'olive

1 cuil. à soupe de vinaigre
balsamique

1 cuil. à café de graines
de sésame

5 brins de menthe

Sel, poivre

Notes : ....

....

....

1 Rincez
le quinoa et faites-le cuire dans une fois et demie son volume d'eau bouillante salée pendant 8 minutes. Coupez le feu, couvrez et laissez gonfler pendant 5 minutes. Salez et poivrez.

2 Pelez
la betterave et coupez-la en rondelles. Saupoudrez de graines de sésame.

3 Mélangez
le fromage frais avec la menthe hachée.

4 Rincez et triez
la mâche. Mélangez le vinaigre balsamique, l'huile d'olive, salez et poivrez.

5 Disposez
les différents ingrédients dans des bols, arrosez les betteraves et la mâche de vinaigrette.

Le quinoa peut être servi chaud ou froid.

SALADE FRISÉE,
riz noir et œuf mollet

Pour 4 personnes

Préparation : 20 min

Cuisson : 45 min

4 petites poignées de salade frisée

200 g de riz noir

4 œufs

1 oignon rouge

Vinaigre blanc

1 cuil. à café de sucre en poudre

Sel

1 Faites cuire
le riz noir dans trois fois son volume d'eau salée pendant 45 minutes.

2 Rincez
et triez la salade frisée. Pelez l'oignon rouge et émincez-le. Placez-le dans un bol, couvrez de vinaigre blanc. Ajoutez 1/2 cuillerée à café de sel, le sucre, mélangez et laissez mariner.

3 Portez
de l'eau à ébullition dans une petite casserole avec 1 cuillerée à soupe de vinaigre blanc, puis baissez pour que l'eau frémisse. Cassez un œuf dans un petit bol, puis versez-le dans l'eau. Laissez cuire 2 minutes en tournant l'eau avec une cuillère en bois. Récupérez l'œuf avec une grande cuillère. Renouvelez l'opération avec les autres œufs.

4 Rincez
les oignons rouges. Servez tous les ingrédients dans des bols.

Notes : ....

....

....

Les oignons **rouges** préparés de cette façon sont très **digestes** et **délicieux**.

MESCLUN
et carottes violettes, framboises et noix

Pour 4 personnes

Préparation : 15 min

Cuisson : 15 min

4 poignées de mesclun

400 g d'escalopes de veau

4 carottes violettes

125 g de framboises

50 g de noix

1 yaourt

1 cuil. à soupe d'huile d'olive

1 cuil. à soupe de vinaigre de framboise

Sel, poivre

Notes : ....

....

....

1 Pelez
les carottes et faites-les cuire dans de l'eau bouillante pendant 15 minutes.

2 Mélangez
dans un petit bol le yaourt, l'huile d'olive, le vinaigre, salez et poivrez.

3 Coupez
les escalopes de veau en morceaux et saisissez-les dans une poêle bien chaude, salez et poivrez.

4 Placez
le mesclun, les carottes et les escalopes de veau dans les bols. Ajoutez les framboises et les noix concassées ainsi que la sauce au yaourt.

Égayez vos bols en remplaçant les framboises par des myrtilles ou des groseilles.

CHOUX
de Bruxelles, poulet et riz rouge

Pour 4 personnes

Préparation : 10 min

Cuisson : 45 min

500 g de choux de Bruxelles

400 g de restes de poulet cuit

200 g de riz rouge

5 brins d'estragon

Le jus de 1/2 citron

1 gousse d'ail

Sel

1 Faites cuire
le riz dans trois fois son volume d'eau salée pendant 45 minutes.

2 Nettoyez
les choux de Bruxelles sous l'eau froide, puis faites-les cuire 15 minutes dans l'eau bouillante salée. Égouttez-les. Faites-les revenir à la poêle avec la gousse d'ail hachée. Réservez.

3 Réchauffez
le poulet à feu doux dans la même poêle, saupoudrez-le d'estragon ciselé et de jus de citron.

4 Servez
dans des bols.

Notes : ....

....

....

L'estragon apporte une note anisée et onctueuse à vos plats.

ÉPINARDS,
courge, thon et quinoa

Préparation : 20 min

Cuisson : 25 min

300 g de pousses d'épinards

300 g de courge

300 g de thon cuit

150 g de quinoa rouge

1 cuil. à soupe de crème

1 pincée de cumin

1 cuil. à soupe d'huile d'olive

Sel, poivre

1 Rincez
le quinoa et faites-le cuire dans une fois et demie son volume d'eau bouillante salée pendant 8 minutes. Coupez le feu, couvrez et laissez gonfler pendant 5 minutes. Salez et poivrez.

2 Pelez
la courge, coupez-la en cubes et faites-la cuire 15 minutes à la vapeur.

3 Faites cuire
les épinards dans une poêle avec l'huile d'olive, ajoutez la crème et le cumin. Salez et poivrez.

4 Servez
les différents ingrédients dans des bols avec le thon émietté.

Notes : ....

....

....

Vous pouvez remplacer le thon par des dés de poulet grillés.

POIVRONS,
cabillaud, haricots rouges

Préparation : 20 min

Cuisson : 20 min

1 poivron vert

500 g de cabillaud

400 g de haricots rouges déjà cuits ou en boîte

1 épi de maïs

2 tomates

1 cuil. à café d'herbes de Provence

2 cuil. à soupe d'huile d'olive

Sel

Notes : ....

....

....

1 Placez le cabillaud dans un plat allant au four et faites-le cuire 20 minutes à 180 °C (th. 6) avec 1 filet d'huile d'olive et les herbes de Provence.

2 Lavez le poivron vert, épépinez-le et émincez-le. Faites-le cuire dans une poêle avec un peu d'huile d'olive pendant 5 minutes en remuant avec une cuillère en bois. Réservez.

3 Lavez et concassez les tomates. Faites-les cuire dans la poêle bien chaude avec le reste d'huile d'olive, ajoutez les haricots rouges rincés.

4 Faites cuire l'épi de maïs 10 minutes dans l'eau bouillante salée, puis coupez-le en morceaux.

5 Servez les différents ingrédients dans des bols.

Utilisez des haricots rouges secs. Comptez 45 g par personne, faites-les tremper 8 heures, rincez-les et faites-les cuire 1 heure dans de l'eau, départ à froid. Salez à la fin de la cuisson.

CHOU KALE,
boulgour et maïs au houmous de carottes

Pour 4 personnes
Préparation : 20 min
Cuisson : 15 min

4 branches de chou kale

300 g de maïs

200 g de boulgour

1 petite grappe de raisin

1 cuil. à soupe d'huile d'olive

Sel, poivre

Pour le houmous de carottes :

50 g de pois chiches cuits

25 g de carottes cuites

Quelques gouttes de jus de citron

1 cuil. à café de tahini

1 cuil. à café d'huile d'olive

Sel, poivre

1 Réalisez
le houmous de carottes en mixant tous les ingrédients.

2 Lavez
et séchez le chou, coupez la tige, froissez les feuilles dans vos mains pour les attendrir et coupez-les en petits morceaux. Faites-le cuire dans une poêle avec l'huile d'olive pendant 15 minutes à feu moyen en mélangeant régulièrement avec une cuillère en bois. Salez et poivrez.

3 Faites cuire
le boulgour 10 minutes dans de l'eau bouillante salée. Réchauffez le maïs à feu doux dans une petite casserole.

4 Servez
les différents ingrédients avec des grains de raisin lavés et coupés en deux.

Le chou **kale** est un allié minceur, car il est riche en **protéines**, mais très faible en **calories**.

RIZ AUX CAROTTES
et maquereaux, à la spiruline

Préparation : 15 min

Cuisson : 10 min

240 g de riz basmati

2 carottes

4 filets de maquereaux

1 cuil. à café de spiruline

1 cuil. à soupe d'huile d'argan

1 cuil. à soupe d'huile d'olive

Le jus de 1/2 citron

Sel, poivre

1 Rincez
le riz et faites-le cuire dans un grand volume d'eau bouillante salée.

2 Pelez
les carottes et râpez-les avec un robot ou une mandoline. Assaisonnez avec le jus de citron, l'huile d'argan et l'huile d'olive. Salez et poivrez.

3 Faites cuire
les filets de maquereau 10 minutes dans un plat allant au four à 180 °C (th. 6).

4 Servez
les différents ingrédients dans des bols et saupoudrez de spiruline.

Notes : ....

....

....

La spiruline est très riche en fer, vous pouvez en consommer sans modération.

MAQUEREAUX
aux petits pois et baies de goji

Pour 4 personnes

Préparation : 10 min

Cuisson : 15 min

4 filets de maquereau fumé au poivre

320 g de petits pois

2 cuil. à soupe de baies de goji

50 g de noisettes

2 cuil. à soupe d'huile d'olive

Le jus de 1/2 citron

Sel, poivre

Notes : ....

....

....

1 Faites cuire les petits pois dans un grand volume d'eau salée.

2 Réchauffez les maquereaux quelques minutes à la vapeur.

3 Servez dans des bols avec les baies de goji et les noisettes concassées. Assaisonnez avec de l'huile d'olive, du jus de citron, salez et poivrez.

Les baies de goji sont l'un des aliments les plus riches en nutriments.

SAUMON
et sarrasin aux algues

Préparation : 10 min

Cuisson : 10 min

400 g de saumon

250 g de sarrasin

4 cuil. à soupe d'algues nori

4 cuil. à soupe de crème de soja

Le jus de 1 citron vert

Quelques brins d'aneth

Sel, poivre

1 **Réhydratez** les algues dans de l'eau froide.

2 **Faites cuire** le sarrasin 10 minutes dans de l'eau bouillante salée.

3 **Coupez** le saumon en dés. Mélangez la crème de soja, le jus de citron, salez et poivrez.

4 **Égouttez** les algues et disposez-les dans des bols avec le sarrasin et le saumon. Assaisonnez avec la crème de soja citronnée et parsemez d'aneth ciselé.

Notes : ....

....

....

Intégrez des algues à votre alimentation, elles sont faibles en calories, mais extrêmement riches en protéines.

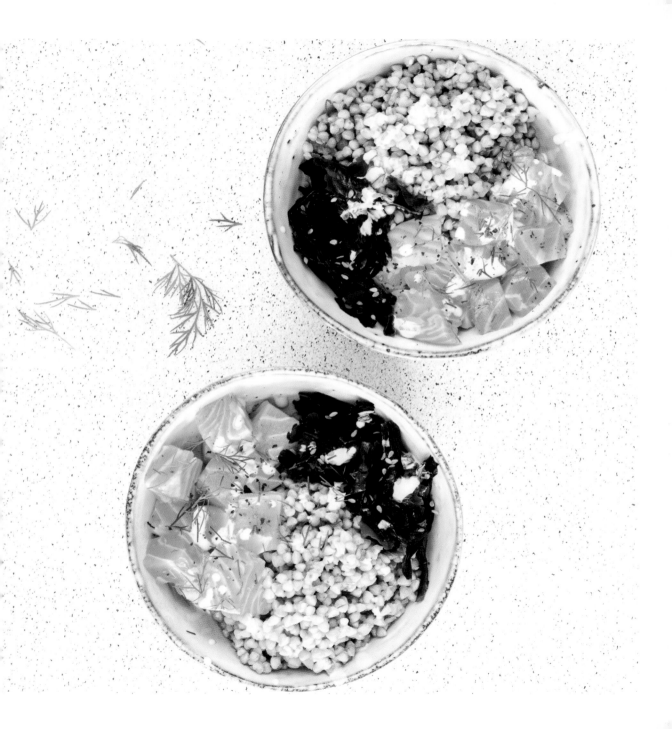

POULET ET CÉLERI
aux graines de chia

Pour 4 personnes

Préparation : 15 min

Cuisson : 10 min

400 g de blancs de poulet

200 g de céleri

2 cuil. à café de graines
de chia

1 concombre

400 g de tagliatelles
complètes

1 brin de persil

1 cuil. à soupe d'huile d'olive

Sel, poivre

1 Pelez
le céleri et coupez-le en fins bâtonnets avec un grand couteau. Lavez le concombre et coupez-le en fins bâtonnets également.

2 Faites cuire
les tagliatelles dans un grand volume d'eau salée.

3 Faites dorer
les blancs de poulet dans une poêle bien chaude avec l'huile d'olive, 5 minutes de chaque côté, salez et poivrez. Coupez-le en lanières.

4 Disposez
les ingrédients dans des bols. Saupoudrez les légumes de persil ciselé et de graines de chia.

Notes : ....

....

....

Les graines de chia ont de nombreuses **vertus**, notamment celle de **favoriser** la perte de **poids**.

ŒUFS
et amandes, haricots verts et chèvre

Pour 4 personnes
Préparation : 15 min
Cuisson : 15 min

4 œufs

2 cuil. à soupe
d'amandes effilées

500 g de haricots verts

80 g de chèvre frais

Sel, poivre

1 Équeutez et lavez les haricots verts. Faites-les cuire 15 minutes dans de l'eau bouillante salée.

2 Faites dorer les amandes effilées dans une poêle sans ajout de matière grasse.

3 Faites chauffer de l'eau dans une casserole pour les œufs mollets. À frémissement, plongez les œufs délicatement et comptez 6 minutes. Plongez-les dans l'eau froide pour arrêter la cuisson. Écalez-les et éclatez-les délicatement.

4 Répartissez les haricots verts dans des bols, ajoutez du chèvre frais émietté. Salez et poivrez.

Notes : ....

Les œufs sont une excellente source de nutriments, de protéines et ne sont pas très chers.

HARICOTS BLANCS,
graines germées et saumon

Pour 4 personnes

Préparation : 20 min

Cuisson : 30 min

300 g de saumon

500 g de haricots blancs déjà cuits ou en boîte

70 g de graines germées

240 g de riz noir

2 brins de coriandre

Le jus de 1 citron

2 cuil. à soupe d'huile d'olive

Sel, poivre

1 Rincez le riz
et faites-le cuire 30 minutes dans de l'eau bouillante salée.

2 Coupez
le saumon en cubes et faites-le cuire à la vapeur pendant 3 minutes.

3 Réchauffez
les haricots blancs 3 minutes dans une casserole à feu très doux. Hors du feu, saupoudrez de coriandre ciselée.

4 Servez
les trois ingrédients dans des bols, ajoutez l'huile d'olive, le jus de citron et du poivre. Parsemez de graines germées.

Notes : ....

....

....

Le saumon c'est du bon gras, des oligoéléments et des vitamines.

FÈVES AU TOFU
et aux graines germées

Pour 4 personnes

Préparation : 20 min

Cuisson : 15 min

400 g de tofu

350 g de fèves

70 g de graines germées

1/2 poivron rouge

2 cuil. à soupe de sauce soja

2 cuil. à café de concentré de tomate

Huile d'olive

Sel, poivre

1 Mélangez
la sauce soja et le concentré de tomate. Coupez le tofu en dés et faites-le mariner dans cette préparation pendant 10 minutes.

2 Faites cuire
les fèves 15 minutes dans une casserole d'eau bouillante salée.

3 Coupez
le poivron en tranches et faites-les revenir dans une poêle avec de l'huile d'olive 3 minutes de chaque côté, réservez.

4 Faites dorer
le tofu dans la poêle pendant 10 minutes en mélangeant régulièrement avec une cuillère en bois.

5 Servez
les différents ingrédients, salez, poivrez. Parsemez de graines germées.

Notes : ....

....

....

Les graines **germées** sont un puissant concentré de **vitamines** et **minéraux**. Elles sont parfaites pour décorer vos bols.

BASILIC,
mozzarella et myrtilles

Pour 4 personnes
Préparation : 10 min

125 g de myrtilles

120 g de billes de mozzarella

Quelques feuilles de basilic

1 melon

Sel, poivre

1 **Prélevez**
des billes dans un melon bien mûr.

2 **Rincez**
les myrtilles, puis le basilic.

3 **Disposez**
les billes de melon dans les bols, puis ajoutez les myrtilles et les billes de mozzarella. Ajoutez quelques feuilles de basilic, salez et poivrez avant de déguster !

Notes : ....

....

....

Le basilic donne un goût de vacances à vos plats et est très bon pour la digestion.

CAROTTES
lacto-fermentées, avocat et pois chiches

Pour 4 personnes

Préparation : 10 min

Cuisson : 5 min

150 g de carottes lacto-fermentées

2 avocats

200 g de pois chiches déjà cuits ou en boîte

100 g de feta

1 cuil. à café de cumin

2 cuil. à soupe d'huile d'olive

Sel, poivre

1 Faites griller
les pois chiches égouttés et séchés dans une poêle avec 1 cuillerée à soupe d'huile d'olive. Ajoutez le cumin en poudre, salez et poivrez.

2 Coupez
les avocats en deux, ôtez les noyaux et pelez-les. Coupez-les en cubes.

3 Servez
les pois chiches, l'avocat, les carottes lacto-fermentées dans des bols. Ajoutez la feta émiettée et poivrez.

Notes : ....

....

....

L'avocat apporte de l'onctuosité à vos plats. C'est un aliment **riche**, mais ce sont de **bonnes** graisses.

Pour 4 personnes

Préparation : 15 min

Cuisson : 15 min

150 g de betterave
lacto-fermentée

500 g de potimarron

4 poignées de mâche

1 gousse d'ail

Le jus de 1/2 citron

3 cuil. à soupe d'huile
de pépins de raisin

2 cuil. à soupe de graines
de courge

1 cuil. à café de sirop d'agave

1 pincée de piment
de Cayenne

Sel, poivre

Notes : ....

....

....

BETTERAVE
lacto-fermentée, potimarron et mâche

1 Pelez
le potimarron, coupez-le
en dés et faites-le cuire
15 minutes à la vapeur.

2 Lavez
et triez la mâche.
Réalisez une vinaigrette en
mélangeant la gousse d'ail
hachée, le piment, l'huile de
pépins de raisin, le jus de
citron et le sirop d'agave.
Salez et poivrez.

3 Disposez
les ingrédients dans
des bols, ajoutez un peu
de vinaigrette.

4 Faites dorer
les graines de courge
dans une poêle sans ajout de
matière grasse. Concassez-les
et parsemez-en les bols.

Les légumes lacto-fermentés sont très bons pour l'équilibre de votre digestion.

DINDE
au curcuma et courgettes

Pour 4 personnes
Préparation : 10 min
Cuisson : 25 min

400 g d'escalopes de dinde

250 g de graines d'amarante

2 courgettes

50 g de noix de pécan

2 brins de menthe

1 filet d'huile d'olive

1 cuil. à café de curcuma

Sel, poivre

1 Rincez
les graines d'amarante et versez-les dans une casserole. Ajoutez le même volume d'eau froide et faites cuire pendant 25 minutes à feu très doux avec un couvercle.

2 Lavez
les courgettes et coupez-les en morceaux. Faites-les cuire à la vapeur pendant 10 minutes.

3 Coupez
les escalopes de dinde en petits morceaux. Faites-les dorer dans une poêle avec l'huile d'olive. Salez, poivrez et ajoutez le curcuma. Laissez cuire à feu doux 5 minutes.

4 Lavez et ciselez
la menthe, hachez les noix de pécan et servez le tout dans des bols.

Notes : ....

....

....

Le curcuma est un excellent anti-inflammatoire, prenez l'habitude d'en ajouter un peu dans vos plats, il a un goût assez neutre.

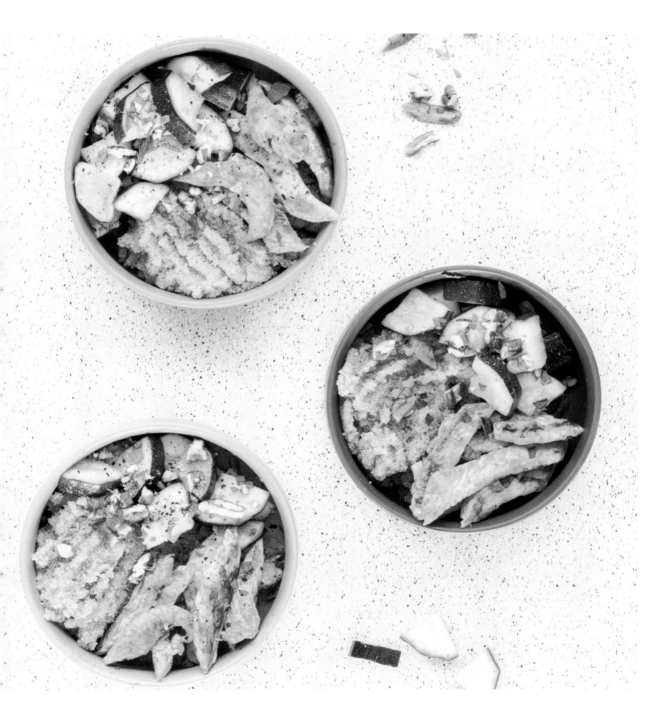

Végétarien

AVOCATS,
grenade et carottes

Pour 4 personnes

Préparation : 25 min

Cuisson : 20 min

2 avocats

1 grenade

6 carottes

50 g d'amandes

3 cuil. à soupe d'huile de sésame

1 cuil. à soupe de vinaigre de riz

Sel, poivre

1 Pelez
et coupez les carottes en rondelles. Faites-les cuire 20 minutes à la vapeur.

2 Coupez
les avocats en deux, ôtez les noyaux et coupez la chair en morceaux.

3 Coupez
la grenade et récoltez les petits grains en supprimant toutes les petites peaux blanches qui sont amères. Concassez les amandes.

4 Mélangez
tous les ingrédients avec le vinaigre et l'huile, salez et poivrez.

Notes : ....

....

....

La **grenade** est un fruit **délicieux** et très riche en **antioxydants**. Il faut simplement être **patient** et prendre le temps de bien détacher tous les petits **grains**.

MYRTILLES,
patate douce, chou–fleur rôti et salade

Pour 4 personnes
Préparation : 20 min
Cuisson : 15 à 20 min

100 g de myrtilles

2 patates douces

1/2 chou-fleur

4 poignées de salade

1 cuil. à soupe de curcuma

1 cuil. à soupe de paprika

2 cuil. à soupe d'huile d'olive

Sel, poivre

Notes : ....

....

....

1 Pelez
les patates douces, coupez-les en cubes et plongez-les dans une casserole d'eau froide et laissez cuire 15 à 20 minutes après ébullition. Une fois cuites, découpez-les en cubes.

2 Préchauffez
le four à 220°c (th. 6-7).

3 Lavez et séchez
le chou-fleur et séparez-le en petites fleurettes. Mélangez dans une grande assiette l'huile d'olive, le curcuma, le paprika, un peu de sel et un peu de poivre. Mélangez les fleurettes dans cette préparation et répartissez-les ensuite dans un plat pour mettre au four 12 à 15 minutes.

4 Disposez
dans les bols la salade, les myrtilles, puis les dés de patates douces et le chou-fleur rôti.

La **myrtille** est un **super** fruit
aux vertus nombreuses : bons pour les **yeux**,
pour la **mémoire** et pour le transit !

COCO EN COPEAUX,
curry de légumes et riz

Pour 4 personnes

Préparation : 15 min

Cuisson : 25 min

100 g de noix de coco

250 g de riz

200 g de potimarron

200 g de petits pois

200 g de haricots verts

25 cl de lait de coco

1 cuil. à café de curry jaune

Sel, poivre

1 Faites cuire
le riz au rice-cooker ou dans de l'eau bouillante salée.

2 Lavez
le potimarron, coupez-le en petits morceaux. Faites-le cuire à la vapeur 15 minutes avec les haricots verts équeutés et les petits pois.

3 Faites fondre
dans une grande cocotte la pâte de curry avec le lait de coco, ajoutez les légumes et laissez cuire 10 minutes.

4 Servez
dans des bols le riz, le curry, du poivre et la noix de coco coupée en petits dés.

Vous pouvez utiliser de la noix de coco fraîche ou des copeaux.

Notes : _____

_____

_____

RATATOUILLE,
orge et levure de bière

Pour 4 personnes

Préparation : 20 min

Cuisson : 40 min

1 aubergine

2 courgettes

2 tomates

300 g d'orge

1 cuil. à soupe de levure de bière

4 cuil. à soupe d'huile d'olive

1 cube de bouillon de légumes

2 branches de thym

Sel

Notes : ....

....

....

1 Lavez les légumes et coupez-les en dés de même taille.

2 Faites chauffer 2 cuillerées à soupe d'huile d'olive dans une grande casserole. Versez l'orge et faites rissoler 2 minutes. Versez 1 l d'eau bouillante et ajoutez le cube de bouillon, puis faites cuire à couvert pendant 40 minutes.

3 Faites chauffer dans une grande poêle le reste d'huile d'olive, puis versez les légumes et le thym. Salez et faites cuire 20 minutes.

4 Faites griller les graines de courges dans une petite poêle sans ajout de matière grasse.

5 Servez dans des bols la ratatouille, l'orge et parsemez de levure de bière.

Si vous ne trouvez pas d'orge, utilisez du blé précuit type Ebly®.

NOIX
de saint-jacques, fondue de poireaux et pommes de terre

Pour 4 personnes
Préparation : 20 min
Cuisson : 25 min

16 noix de saint-jacques

2 poireaux

500 g de pommes de terre

50 g de beurre

Le jus de 1/2 citron jaune

15 cl de crème liquide

Sel, poivre

1 Pelez
les pommes de terre et coupez-les en rondelles, faites-les cuire 5 minutes à la vapeur.

2 Lavez, fendez, puis émincez
les poireaux et faites-les cuire dans une poêle avec 30 g de beurre pendant 15 minutes. Ajoutez la crème, le jus de citron, salez et poivrez. Laissez cuire 10 minutes.

3 Rincez
les noix de saint-jacques sous l'eau froide et séchez-les sur du papier absorbant.

4 Faites fondre
le beurre restant dans une poêle bien chaude et faites cuire les noix de saint-jacques 2 minutes sur chaque face.

5 Servez
les ingrédients dans les bols et parsemez de persil ciselé.

Notes : ....
....
....

Vous pouvez ajouter du persil ou de l'aneth ciselé sur votre bol.

RISOTTO
crevettes et épinards, noisettes

Pour 4 personnes

Préparation : 30 min

Cuisson : 20 min

240 g de riz basmati

250 g de crevettes

125 g d'épinards

60 g de noisettes

1 gousse d'ail

2 oignons

1 cube de bouillon de volaille

4 cuil. à soupe d'huile d'olive

Sel, poivre

Notes : ....

....

....

1 Faites chauffer
5 verres d'eau avec le cube de bouillon.

2 Émincez
les oignons en fines rondelles puis faites-les suer dans une poêle préalablement chauffée avec 2 cuillerées à soupe d'huile d'olive, jusqu'à ce qu'ils deviennent transparents. Ensuite, ajoutez le riz et mélangez bien. Lorsque le riz devient transparent, ajoutez une partie de l'eau au bouillon (le riz doit être à peine couvert par l'eau).

3 Laissez
le riz absorber l'eau à feu moyen tout en mélangeant régulièrement. Ajoutez de nouveau l'eau et, lorsque le riz l'a absorbée entièrement, répétez l'opération. Comptez environ 20 minutes de cuisson en tout.

4 Rincez
les épinards, faites-les cuire dans une grande poêle avec 1 cuillerée à soupe d'huile d'olive pendant 5 minutes, ajoutez l'ail haché, salez et poivrez et réservez.

5 Faites cuire
dans une poêle huilée les crevettes jusqu'à ce qu'elles soient légèrement croustillantes.

6 Disposez
le risotto dans chaque bol, puis ajoutez les épinards préparés, les crevettes et saupoudrez de noisettes concassées.

En **hiver**, remplacez les **épinards**
par du **potimarron**.

CÉSAR
bowl

Pour 4 personnes

Préparation : 15 min

Cuisson : 15 min

1 laitue

4 œufs

400 g de blanc de poulet

80 g de parmesan

Une vingtaine de tomates cerises

4 tranches de pain de mie

2 cuil. à soupe d'huile d'olive

Sel

Notes : ....

....

....

1 Coupez
le pain de mie en dés et jetez-les dans une poêle huilée. Remuez jusqu'à ce qu'ils aient une couleur dorée et qu'ils soient croustillants. Sortez-les de la poêle et épongez-les avec du papier absorbant.

2 Faites revenir
dans une seconde poêle le blanc de poulet coupé en petits morceaux.

3 Faites cuire
les œufs dans l'eau bouillante salée 10 minutes environ. Écalez-les et coupez-les en quartiers.

4 Lavez
la laitue et essorez-la, puis coupez les tomates cerises en deux.

5 Disposez
dans les bols la laitue, puis le poulet. Écalez les œufs et coupez-les en quartiers, les tomates cerises, puis les croûtons. Pour finir, râpez le parmesan et parsemez-le sur les bols.

Pour un bol plus light, remplacez les croûtons par des tranches de pain grillées.

BŒUF FAÇON
bourguignon

Pour 4 personnes
Préparation : 30 min
Cuisson : 2 h

400 g de noix de bœuf

250 g de carottes

250 g de haricots verts

300 g de céleri

2 échalotes

1 cuil. à soupe de crème fraîche

1 cuil. à café de graines de cumin

3 brins de persil

1 filet d'huile d'olive

Sel, poivre

Notes : ....

....

....

1 Préchauffez
le four à 150 °C (th. 5).

2 Faites dorer
dans une cocotte bien chaude la viande coupée en morceaux avec l'huile d'olive, les échalotes hachées et le cumin. Salez et poivrez. Couvrez d'eau, portez à ébullition, puis placez au four pendant 2 heures.

3 Pelez
le céleri et coupez-le en morceaux. Pelez et coupez les carottes en bâtonnets. Équeutez les haricots verts. Faites cuire les légumes à la vapeur dans différents paniers (ou sans les mélanger). Mixez le céleri avec du sel, du poivre et la crème fraîche.

4 Servez
la viande avec la purée et les légumes. Parsemez de persil ciselé.

*Vous pouvez cuire la **viande** la veille et la **réchauffer** au moment du **dîner.***

CHORIZO, COMTÉ
en dés, mâche, tomates séchées, noix

Pour 4 personnes

Préparation : 10 min

Cuisson : 2 min

90 g de chorizo

60 g de comté

4 poignées de mâche

70 g de tomates séchées

40 g de noix

3 cuil. à soupe d'huile de noix

1 cuil. à soupe de vinaigre balsamique

Sel, poivre

1 Coupez
le chorizo en lamelles, puis faites-les revenir à la poêle à peine 2 minutes.

2 Coupez
le comté en dés, les tomates séchées en deux.

3 Mettez
dans les bols la mâche, le chorizo, le comté et les tomates séchées et, enfin, concassez les noix et parsemez-les sur les ingrédients.

4 Réalisez
la vinaigrette en mélangeant le vinaigre, l'huile un peu de sel et de poivre et assaisonnez les bols.

Notes : _____

_____

_____

Pour un **repas** encore plus **consistant**, ajoutez 1cuillerée à soupe de riz **complet** par bol.

EFFILOCHÉE
de confit de canard

Pour 4 personnes

Préparation : 10 min

Cuisson : 15 min

2 cuisses de confit de canard

400 g de tagliatelles

Une vingtaine de tomates confites

1 botte de cresson

3 cuil. à soupe d'huile

1 cuil. à soupe de vinaigre balsamique

Sel, poivre

1 Faites cuire les tagliatelles 8 minutes dans l'eau bouillante salée.

2 Préchauffez le four à 180 °C (th. 6) et enfournez les cuisses de confit de canard pour 15 minutes.

3 Lavez et triez le cresson. Dans un bol mélangez l'huile et le vinaigre, salez, poivrez et assaisonnez le cresson.

4 Effilochez les cuisses de confit de canard avec une fourchette, puis dressez les bols avec les 4 ingrédients.

Une recette parfaite pour recevoir !

Notes : ....

....

....

CHOU KALE,
raisin rouge, tagliatelles épinards et saumon

Pour 4 personnes
Préparation : 10 min
Cuisson : 15 min

2 branches de chou kale

1 grappe de raisin rouge

400 g de tagliatelles aux épinards

4 pavés de saumon

Huile d'olive

Sel

1 Faites cuire
les tagliatelles dans une casserole d'eau bouillante salée.

2 Versez
dans une poêle chaude 1 filet d'huile d'olive et faites-y cuire les pavés de saumon.

3 Lavez
le chou et retirez les côtes. Malaxez les feuilles entre vos mains pour les ramollir et faites-les cuire dans une poêle avec 1 filet d'huile d'olive pendant 10 minutes environ.

4 Déposez
les tagliatelles dans les bols, puis les pavés de saumon. Ajoutez ensuite le chou kale et quelques raisins rouges.

Notes : ....

....

....

Vous pouvez ajouter 1 cuillerée à café de graines de sésame avec le chou kale.

SAUCISSES
mogettes

Pour 4 personnes

Préparation : 10 min

Trempage : 1 nuit

Cuisson : 2 h

3 saucisses de Toulouse

200 g de mogettes

16 tomates cerises

800 g d'épinards

2 gousses d'ail

1 brin de thym

4 cl de crème fraîche

1 noix de beurre

1 Mettez
les mogettes à tremper toute la nuit.

2 Égouttez
les mogettes puis faites-les cuire dans une grande casserole d'eau non salée pendant au moins 2 heures, à feu doux, avec les gousses d'ail et le thym.

3 Coupez
les saucisses en tranches et faites-les griller à la poêle.

4 Lavez
soigneusement les épinards et faites-les cuire dans une poêle avec le beurre. Lorsque les épinards ont fondu, arrosez-les de crème fraîche, puis mélangez.

5 Disposez
dans les bols les mogettes, les saucisses puis les épinards à la crème, ajoutez enfin les tomates cerises coupées en deux.

Si vous êtes pressés, utilisez des mogettes en bocal rincées et réchauffées doucement dans une petite casserole.

Notes : ....

....

....

Pour 4 personnes
Préparation : 20 min
Cuisson : 15 min

2 grosses saucisses fumées

240 g de riz blanc

2 petites tomates

1 boîte de tomates concassées

1 concombre

1 yaourt nature

1 petit oignon

1 gousse d'ail

1 bouquet garni

3 cuil. à café d'huile d'olive

1 cuil. à café de concentré de tomate

1/2 cuil. à café de curcuma

1 piment oiseau

4 brins de persil

Piment d'Espelette

Sel, poivre

SAUCISSES
en rougail

1 Rincez
le riz et faites-le cuire dans l'eau bouillante salée.

2 Lavez et râpez
le concombre puis, dans un bol, mélangez-le avec le yaourt nature. Ajoutez du sel, du poivre et le piment d'Espelette.

3 Pelez et hachez
l'ail et l'oignon. Lavez les tomates, puis coupez-les en dés.

4 Coupez
les saucisses en tranches de 2 cm et faites-les revenir à la poêle pendant 2 minutes avec l'ail, l'oignon et l'huile d'olive.

5 Versez
dans une casserole les tomates fraîches, les tomates concassées, le concentré de tomate, le bouquet garni, le curcuma, le piment, puis ajoutez les saucisses. Recouvrez et laissez cuire à feu moyen pendant 10 minutes.

6 Disposez
les saucisses dans les bols, ajoutez le riz, puis un peu de sauce yaourt/ concombre. Parsemez de persil ciselé et servez !

Vous pouvez aussi supprimer le piment ou laisser chacun en ajouter à sa convenance.

ROQUEFORT,
épeautre, noisettes, endives

Pour 4 personnes

Préparation : 10 min

Cuisson : 1 h 10

120 g de roquefort

150 g d'épeautre

70 g de noisettes

2 endives

2 cuil. à soupe d'huile de noix

Le jus de 1/2 citron

Sel, poivre

1 Rincez
l'épeautre et faites-le cuire pendant 1 heure dans deux fois son volume d'eau salée. Puis, hors du feu, couvrez et laissez gonfler 10 minutes.

2 Lavez et émincez
finement les endives, puis coupez le roquefort en dés.

3 Disposez
dans chaque bol l'épeautre, puis les endives et le roquefort et parsemez de noisettes concassées.

4 Préparez
la vinaigrette en mélangeant l'huile de noix, le jus de citron, le sel et le poivre et versez sur les endives.

Notes : ....

....

....

Si vous aimez les saveurs anisées, vous pouvez ajouter un peu d'estragon ciselé.

Pour 4 personnes
Préparation : 25 min
Cuisson : 10 min

7 pommes de terre

3 oignons

1 œuf

200 g de fromage frais fouetté

4 poignées de salade

50 g de noix

3 cuil. à soupe de farine

2 cuil. à soupe d'huile d'olive
+ un peu pour frire

1 cuil. à soupe de vinaigre
de vin

Sel, poivre

Notes : ....

....

....

RÖSTIS
de pommes de terre

1 Épluchez
les pommes de terre et l'oignon pour les râper finement. Ajoutez la farine, l'œuf et assaisonnez avec un peu de sel et poivre, puis mélangez bien.

2 Portez
à ébullition un peu d'huile dans une poêle et déposez 4 cuillerées à soupe de la préparation pour former 4 galettes. Faites bien dorer les galettes de chaque côté. Recommencez jusqu'à l'épuisement de la pâte.

3 Répartissez
dans les bols les röstis de pommes de terre, le fromage frais fouetté, la salade, puis parsemez de noix concassées. Assaisonnez la salade avec l'huile d'olive et le vinaigre, un peu de sel et de poivre.

Voici une recette végétarienne gourmande parfaite pour le soir.

PENNE, POULET,
bacon, mimolette, tomates cerises

Pour 4 personnes

Préparation : 5 min

Cuisson : 10 min

400 g de penne

3 blancs de poulet

8 tranches de bacon

80 g de mimolette

20 tomates cerises

1 cuil. à soupe d'huile d'olive

Sel

1 Faites cuire
les penne dans l'eau bouillante salée.

2 Faites cuire
à la poêle les blancs de poulet avec un peu d'huile. Une fois cuits, coupez-les en tranches.

3 Découpez
les tranches de bacon en deux et faites-les revenir à la poêle.

4 Disposez
les penne dans les bols, puis alternez 1 tranche de poulet, 1 tranche de bacon. Ajoutez les tomates cerises coupées en deux et parsemez de copeaux de mimolette.

Notes : ....

....

....

Pour encore plus de gourmandise, ajoutez 1 petite cuillerée de crème fraîche.

CALAMARS
grillés

Pour 4 personnes

Préparation : 20 min

Cuisson : 20 min

600 g de calamars

240 g de riz complet

100 g de chorizo

2 oignons

4 cuil. à soupe d'huile d'olive

2 cuil. à café de sucre
en poudre

1 cuil. à soupe de persil ciselé

Le jus de 1 citron

2 citrons

Sel, poivre

Notes : ....

----

1 Rincez
les calamars et séchez-les. Coupez-les en anneaux. Faites-les dorer dans une poêle avec 2 cuillerées à soupe d'huile d'olive. Salez, poivrez et ajoutez quelques gouttes de jus de citron.

2 Hachez et grillez
le chorizo à la poêle. Faites cuire le riz dans un grand volume d'eau bouillante salée.

3 Pelez et émincez
les oignons. Faites chauffer l'huile restante dans une poêle à feu moyen et ajoutez les oignons. Avec une spatule, remuer sans cesse pendant 5 minutes, puis baissez le feu et ajoutez le sucre, un peu de sel et de poivre et poursuivez la cuisson 15 minutes en remuant régulièrement.

4 Disposez
le riz, les calamars et la fondue d'oignon dans les bols. Ajoutez le chorizo grillé haché et parsemez de persil. Servez avec des quartiers de citron.

Si vous êtes **pressés**, vous pouvez **utiliser** des anneaux de **calamars** surgelés.

CHOUCROUTE
rapide

Pour 4 personnes

Préparation : 10 min

Cuisson : 20 min

400 g de choucroute cuite

300 g de pommes de terre

1 tranche de poitrine fumée

2 knacks d'Alsace

4 petites saucisses fumées

Sel

1 Faites cuire
les pommes de terre pelées et coupées en morceaux 20 minutes à l'eau bouillante salée.

2 Faites cuire
les saucisses et la poitrine à la vapeur pendant 15 minutes. Réchauffez le chou.

3 Disposez
les différents ingrédients dans les bols et servez avec de la moutarde à l'ancienne.

Notes : ....

....

....

Le fait de servir la choucroute en bol avec des quantités de viande limitées en fait un plat mieux adapté pour le soir.

CHAMPIGNONS
à l'ail, riz blanc et chou vert

Pour 4 personnes

Préparation : 20 min

Cuisson : 20 min

500 g de champignons

1 gousse d'ail

250 g de riz blanc

1/2 chou vert

50 g de beurre

1 cuil. à soupe d'huile d'olive

Sel, poivre

Pour le pesto :

1 gousse d'ail

25 g de pignons de pin

50 g de tomates confites

30 g de parmesan

3 cuil. à soupe d'huile d'olive

1 Préparez
le pesto en mixant les pignons, les tomates confites, le parmesan, l'ail et l'huile d'olive.

2 Coupez
les champignons et faites-les cuire 7 minutes à feu vif dans une poêle avec l'huile d'olive. Ajoutez la gousse d'ail hachée, salez et·poivrez.

3 Faites cuire
le riz dans de l'eau bouillante salée.

4 Enlevez
les côtes du chou, lavez les feuilles et faites-les cuire 10 minutes dans de l'eau bouillante salée. Égouttez, émincez les feuilles et faites-les revenir dans une poêle avec le beurre pendant 10 minutes.

5 Servez
les différents ingrédients dans des bols, nappés de pesto.

Vous pouvez réaliser cette recette de bol avec les champignons de votre choix.

Végétarien

AVOCAT,
patate douce, riz rouge et épinards

Pour 4 personnes

Préparation : 10 min

Cuisson : 15 min

2 avocats

2 patates douces

4 poignées de jeunes pousses d'épinard

240 g de riz rouge

50 g d'amandes

3 cuil. à soupe d'huile de noix

1 cuil. à soupe de crème de balsamique

1 filet d'huile d'olive

Sel, poivre

Notes : ....

....

....

1 Rincez
le riz rouge et faites-le cuire dans un grand volume d'eau salée.

2 Pelez
les patates douces, coupez-les en fines tranches et faites-les cuire 10 minutes dans une poêle avec l'huile d'olive. Mélangez régulièrement avec une cuillère en bois. Salez et poivrez.

3 Rincez et triez
les jeunes pousses. Pelez et dénoyautez les avocats et coupez-les en fines tranches. Préparez une vinaigrette avec l'huile de noix et la crème de balsamique.

4 Dressez
les bols avec le riz, les patates douces et l'avocat. Ajoutez les jeunes pousses et assaisonnez de vinaigrette. Parsemez d'amandes concassées.

Pour éviter les coups de fatigue, ajoutez quelques amandes à vos repas.

Végétarien

HOUMOUS,
crudités, levure de bière

Pour 4 personnes
Préparation : 15 min

1 concombre

2 carottes

1 endive

24 tomates cerises

2 cuil. à soupe de levure de bière

Pour le houmous :

350 g de pois chiches cuits

Le jus de 1 petit citron

3 cuil. à soupe de tahini

4 cuil. à soupe d'huile d'olive

10 brins de coriandre fraîche

1 pincée de cumin

1 cuil. à café de sel

Notes : ....

....

....

1 Mélangez
les pois chiches cuits, le jus de citron, le tahini, l'huile d'olive, la coriandre, le sel, 6 cl d'eau et le cumin dans un saladier. Mixer le tout au mixeur plongeant jusqu'à l'obtention d'une belle purée.

2 Pelez
les carottes et coupez-les en bâtonnets. Découpez également le concombre en bâtonnets.

3 Lavez et égouttez
l'endive puis coupez les plus grosses feuilles en petits morceaux.

4 Disposez
dans les bols quelques bâtonnets de carottes et de concombres, quelques tomates cerises, de l'endive et, pour finir, 1 à 2 cuillerées à soupe de houmous. Parsemez de levure de bière et dégustez.

_a levure de **bière** stimule le système **immunitaire**, améliore le tonus et permet de **lutter** contre la fatigue mentale et **émotionnelle**.

BŒUF HACHÉ
et pesto énergie

Pour 4 personnes

Préparation : 25 min

Cuisson : 20 min

400 g de bœuf haché

300 g de pommes de terre

1 courgette

1/2 botte de basilic

30 g de noisettes

1 gousse d'ail

1 filet de jus de citron

2 cuil. à soupe d'huile d'olive

Sel, poivre

1 Lavez et séchez le basilic, puis hachez-le. Concassez les noisettes grossièrement. Pelez la gousse d'ail, ôtez le germe et mixez-la avec les noisettes, le basilic, le jus de citron et 1 cuillerée à soupe d'huile d'olive.

2 Lavez et pelez les pommes de terre, puis coupez-les en petits morceaux et faites-les cuire à la vapeur. Ajoutez, à 5 minutes de la fin de la cuisson des pommes de terre, la courgette coupée en dés.

3 Faites revenir les pommes de terre cuites dans un peu d'huile, 3 à 4 minutes à feu doux.

4 Faites cuire le bœuf haché dans une poêle bien chaude 2 à 3 minutes sans ajout de matières grasses.

5 Disposez le bœuf dans les bols avec les pommes de terre et la courgette, salez et poivrez puis ajoutez 1 cuillerée à soupe de pesto et assaisonnez.

Notes : ....

....

....

La noisette est une source de magnésium qui apporte de l'énergie.

POULET,
beurre de cacahuète, brocolis — mangue

Pour 4 personnes

Préparation : 15 min

Cuisson : 10 min

2 escalopes de poulet

4 cuil. à café de beurre de cacahuète

450 g de brocolis

1 mangue

1 cuil. à soupe d'huile d'olive

4 cuil. à café de sauce soja

2 cuil. à café de graines de sésame

Notes : ....

....

....

1 Commencez
par faire cuire à la vapeur les brocolis pendant 10 minutes.

2 Faites cuire
les escalopes à la poêle, avec l'huile d'olive 8 minutes environ, puis coupez-les en morceaux.

3 Pelez
la mangue et coupez-la en lanières.

4 Disposez
les brocolis dans chaque bol avec les morceaux de poulet, la mangue et 1 cuillerée à café de beurre de cacahuète. Assaisonnez avec la sauce soja et parsemez de graines de sésame.

Le beurre de cacahuète contient des quantités importantes de bons lipides et de bonnes protéines, ce qui représente une source énergétique de qualité.

THON, BOULGOUR
et épinards à la figue

Pour 4 personnes

Préparation : 10 min

Cuisson : 10 min

400 g de thon

450 g de boulgour

4 poignées de jeunes pousses d'épinard

4 figues

40 g de graines de courge

1 filet d'huile d'olive

Sel

1 Faites cuire
le boulgour dans deux fois son volume d'eau salée. Comptez 8 minutes de temps de cuisson, puis couvrez la casserole et placez hors du feu pendant 4 minutes, que le boulgour gonfle.

2 Coupez
le thon en dés. Lavez les figues et coupez-les en quartiers. Faites griller les graines de courge à la poêle l'huile d'olive.

3 Déposez
dans chaque bol le boulgour, puis le thon et une poignée d'épinard. Ajoutez 4 quartiers de figue et saupoudrez de graines de courges grillées.

Les graines de courge sont riches en fer, elles permettent de lutter contre l'anémie et la fatigue.

Notes : ....

....

....

PURÉE
de potimarron, marrons et cranberries

Pour 4 personnes

Préparation : 15 min

Cuisson : 10 min

500 g de potimarron

300 g de marrons

50 g de cranberries

400 g de reste de dinde

2 brins d'aneth

Le jus de 1/2 citron

1 filet d'huile d'olive

Sel, poivre

1 Lavez
et coupez le potimarron en morceaux, puis faites-les cuire 10 minutes dans de l'eau bouillante salée. Une fois cuits, égouttez, salez, poivrez et ajoutez quelques gouttes de jus de citron avant de mixer.

2 Faites réchauffer
les marrons dans une poêle avec l'huile d'olive.

3 Faites revenir
les restes de dinde à la poêle.

4 Disposez
dans chaque bol le potimarron, les marrons et la dinde. Ajoutez les cranberries et parsemez d'aneth ciselé.

Notes : ....

....

....

ŒUFS DE CAILLE
et houmous de betterave

Pour 4 personnes
Préparation : 20 min
Cuisson : 20 min

8 œufs de caille

430 g de haricots verts

450 g de quinoa

Sel

Pour le houmous :

175 g de pois chiches cuits

100 g de betterave cuite

Le jus de 1 citron

2 cuil. à soupe de tahini

2 cuil. à soupe d'huile d'olive

1 cuil. à café de sel

Notes : ....

....

....

1 Déposez
les œufs de caille dans de l'eau bouillante légèrement salée et laissez cuire 4 minutes. Les passer ensuite sous l'eau froide avant de les écaler pour faciliter l'épluchage.

2 Préparez
l'houmous. Dans un saladier, mélangez les pois chiches, la betterave, le jus de citron, le sel, le tahini, l'huile d'olive, le sel, la menthe et 3 cl d'eau, puis mixez au mixeur plongeant jusqu'à l'obtention d'une belle purée.

3 Faites cuire
les haricots verts 15 à 20 minutes dans un volume d'eau bouillante salée.

4 Versez
le quinoa dans un second grand volume d'eau bouillante salée et laissez cuire en couvrant la casserole environ 10 minutes à feu moyen.

5 Préparez
les bols en y déposant le quinoa, les haricots verts, les œufs de caille, puis le houmous de betterave.

Le quinoa est surnommé « la graine d'énergie », car il possède une très grande teneur en protéines.

SALADE, RAISINS,
riz rouge, maquereau

Pour 4 personnes
Préparation : 10 min
Cuisson : 15 min

4 poignées de jeunes pousses

1 petite grappe de raisin

240 g de riz rouge

300 g de maquereau cuit

Sel

1 Rincez
le riz rouge et faites-le cuire dans un grand volume d'eau salée.

2 Coupez
le maquereau en morceaux.

3 Mettez
dans chaque bol une poignée de jeunes pousses, du riz et le maquereau.

4 Pelez
les grains de raisin et ajoutez-les dans les bols.

Notes : ....

....

....

PASTÈQUE,
betterave et quinoa trois couleurs

Pour 4 personnes

Préparation : 10 min

Cuisson : 10 min

1/4 de pastèque

2 betteraves

4 poignées de roquette

430 g de quinoa trois couleurs

4 cuil. à café de purée
d'amandes

Le jus de 1/2 citron

Sel, poivre

1 Faites cuire
le quinoa dans une fois et demie son volume d'eau bouillante salée, 7 minutes à feu moyen. Hors du feu, laissez gonfler pendant 10 minutes.

2 Coupez
les betteraves en fines tranches, puis faites des billes de pastèque avec une cuillère parisienne.

3 Ajoutez
dans chaque bol le quinoa, quelques tranches de betterave, une poignée de roquette, les billes de pastèque puis, pour finir, déposez de la purée d'amandes sur l'ensemble et quelques gouttes de jus de citron. Salez et poivrez.

Notes : ....

....

....

La betterave est riche en magnésium, phosphore et vitamine B.

CHOU ROUGE
et aubergine au riz trois couleurs

Pour 4 personnes
Préparation : 20 min
Cuisson : 30 min

1/4 de chou rouge

240 g de riz trois couleurs

50 g de noix de pécan

1 aubergine

2 tomates

1 gousse d'ail

1/2 cuil. à café de cumin

1/2 cuil. à café de paprika

3 cuil. à soupe d'huile d'olive

1 cuil. à soupe de vinaigre balsamique

Quelques brins de persil

Sel, poivre

Notes : ....

....

....

1 Lavez
les tomates et l'aubergine, coupez-les en morceaux. Versez 1 cuillerée à soupe d'huile d'olive dans une casserole, ajoutez les légumes, les épices, la gousse d'ail pelée et hachée, salez et poivrez. Laissez cuire 30 minutes à feu doux à couvert, puis écrasez à la fourchette.

2 Faites cuire
le riz dans de l'eau bouillante salée.

3 Lavez et émincez
finement le chou rouge. Assaisonnez-le avec l'huile d'olive restante, le vinaigre balsamique, salez et poivrez.

4 Servez
le riz, le confit d'aubergine et le chou rouge dans des bols, parsemez de noix de pécan concassées. Ajoutez un peu de persil selon vos goûts.

Le riz trois couleurs apporte de l'énergie et se digère très facilement.

LENTILLES CORAIL
et riz, myrtilles et chèvre

Pour 4 personnes

Préparation : 10 min

Cuisson : 15 min

190 g de lentilles corail

240 g de riz basmati

100 g de myrtilles

4 poignées de roquette

80 g de fromage de chèvre

2 cuil. à soupe d'huile de noix

1 cuil. à soupe de vinaigre de framboise

Sel, poivre

Notes : ....

....

....

1 Rincez
les lentilles corail et déposez-les dans une casserole avec trois fois leur volume d'eau froide non salée. Portez à ébullition et laissez cuire à petit feu et à couvert pendant 10 à 15 minutes.

2 Rincez
également le riz basmati avant de le mettre à cuire dans deux fois son volume d'eau bouillante salée. Faites cuire pendant 15 minutes à feu moyen et à couvert. Arrêtez le feu et laissez couvert 2 minutes pour que le riz finisse sa cuisson.

3 Coupez
des tranches dans une bûche de fromage de chèvre.

4 Mettez
dans chaque bol le riz, les lentilles corail, puis une poignée de roquette, le fromage de chèvre et, pour finir, disposez des myrtilles préalablement lavées. Assaisonnez avec l'huile de noix et le vinaigre de framboise et poivrez.

Les **lentilles** sont riches en **énergie** et en **protéines**, elles sont les **alliées** des **végétariens**.

POULET,
purée de marrons et ananas

Pour 4 personnes
Préparation : 20 min
Cuisson : 10 min

4 escalopes de poulet

500 g de marrons cuits

120 g d'ananas

50 g de cranberries

4 poignées de salade violette

15 cl de crème fraîche légère

15 cl de lait écrémé

3 cuil. à soupe d'huile d'olive

1 cuil. à soupe de vinaigre

Sel, poivre

1 Recouvrez les marrons de crème et de lait, puis salez et poivrez avant de porter à ébullition. Mixez ensuite, puis remettez sur le feu et remuez jusqu'à l'obtention d'une purée bien lisse. N'hésitez pas à ajouter de la crème ou du lait si la purée est trop épaisse.

2 Coupez les escalopes de poulet en aiguillettes et faites-les cuire à la poêle avec 1 filet d'huile d'olive.

3 Épluchez l'ananas et découpez-le en morceaux. Lavez la salade et assaisonnez-la avec le reste d'huile, le vinaigre, sel et poivre.

4 Disposez la purée de marrons dans les bols, ajoutez la salade violette assaisonnée, puis l'ananas et les aiguillettes de poulet. Hachez les cranberries et saupoudrez-les dans les bols.

Notes : ....

....

....

De l'énergie, mais **sans** le gras, le **marron** est un allié **santé**.

FARFALLES,
haricots verts et saumon

Pour 4 personnes

Préparation : 5 min

Cuisson : 20 min

400 g de farfalles

250 g de saumon

4 poignées de haricots verts

Une douzaine de tomates cerises

Sel

1 Plongez
les farfalles dans un grand volume d'eau salée et laissez cuire 8 minutes environ.

2 Faites cuire
les haricots 15 à 20 minutes dans un second volume d'eau salée.

3 Coupez
le saumon en dés et faites-les cuire 5 minutes environ à la vapeur.

4 Disposez
les farfalles et les haricots verts dans les bols, puis ajoutez les dés de saumon et les tomates cerises coupées en quatre.

Notes : ....

....

....

Les enfants *préfèrent* que les aliments soient *séparés* pour pouvoir *goûter* sans obligation.

COQUILLETTES,
jambon et petits pois

Pour 4 personnes

Préparation : 5 min

Cuisson : 15 min

400 g de coquillettes

4 tranches de jambon

320 g de petits pois

80 g d'emmental

Sel

1 Faites cuire
dans une casserole d'eau salée les petits pois 15 minutes et dans une seconde casserole d'eau bouillante salée versez les coquillettes et laissez-cuire le temps indiqué sur l'emballage.

2 Découpez
les tranches de jambon et l'emmental en cubes.

3 Disposez
dans les bols les coquillettes, les petits pois, puis le jambon et l'emmental, c'est prêt !

Notes : ....

....

....

Les bols sont une bonne façon de préparer des repas équilibrés et qui plairont à vos enfants.

RIZ,
maïs, thon

Pour 4 personnes

Préparation : 10 min

Cuisson : 10 min

240 g de riz blanc

160 g de maïs

140 g de thon

2 tomates

1 concombre

4 cuil. à café d'huile d'olive

Le jus de 1/2 citron

Sel

1 Commencez
par rincer le riz et faites-le cuire dans de l'eau bouillante salée.

2 Lavez et découpez
les tomates et le concombre en dés.

3 Égouttez
le riz et déposez-le dans chaque bol. Ajoutez le maïs, le thon émiethé, puis les dés de tomate et de concombre. Assaisonnez avec l'huile d'olive et le jus de citron.

Notes : ....

....

....

Les enfants ne sont pas toujours fans des salades, mais celle-ci devrait leur plaire. Elle est aussi idéale en pique-nique.

SPAGHETTIS,
boulettes et épinards

Pour 4 personnes

Préparation : 15 min

Cuisson : 10 min

430 g de spaghettis

250 g de viande hachée
à 5 % de MG

2 tomates

100 g d'épinards

3 cuil. à soupe d'huile d'olive

1 cuil. à soupe
de fromage frais

1 pincée de paprika

Sel

1 Faites cuire
les spaghettis dans
une grande casserole d'eau
bouillante salée.

2 Mélangez
la viande hachée
et le paprika et formez
12 boulettes environ puis
faites-les cuire à la poêle avec
1 filet d'huile d'olive.

3 Faites cuire
les épinards dans
une poêle avec un peu
d'huile, puis 5 minutes avant
la fin ajoutez le fromage frais.

4 Coupez
les tomates en
morceaux et faites-les cuire
5 minutes dans une petite
poêle avec de l'huile d'olive.

5 Disposez
les spaghettis dans les
bols, ajoutez les boulettes
de viande, les épinards et les
petits morceaux de tomates.

Notes :
....

....

....

*Ces boulettes toutes simples
(sans herbes ni oignon) plairont aux enfants.*

Végétarien

OMELETTE,
avocat, radis et pâtes étoiles

Pour 4 personnes
Préparation : 10 min
Cuisson : 10 min

400 g de pâtes étoiles

6 œufs

1 avocat

8 radis

Le jus de 1/2 citron

30 g de fromage râpé

1 cuil. à soupe d'huile d'olive

Sel

1 Faites cuire
les pâtes étoiles dans un grand volume d'eau bouillante salée.

2 Battez
les œufs entiers dans un bol et ajoutez le fromage râpé et 1 pincée de sel. Versez ensuite les œufs battus dans une poêle huilée et laissez cuire environ 7 minutes.

3 Lavez
et coupez les radis en lamelles. Épluchez et dénoyautez l'avocat et coupez-le en dés puis arrosez de quelques gouttes de jus de citron.

4 Disposez
les pâtes dans des bols, puis ajoutez l'omelette coupée en dés, les radis et l'avocat et dégustez !

Notes : ....

....

....

*Vous pouvez aussi utiliser des **pâtes** lettres, qui **amuseront** les enfants et rappelleront des **souvenirs** aux plus grands.*

BILLES DE MOZZA
et brochettes

Pour 4 personnes

Préparation : 20 min

120 g de billes de mozzarella

1/2 melon

250 g de tomates cerises de différentes couleurs

4 tranches de jambon cru

1 Coupez
la chair du demi-melon en petits cubes.

2 Coupez
les tomates cerises en deux, puis coupez le jambon cru en morceaux.

3 Enfilez
sur des bâtonnets, en les alternant, du melon et du jambon cru.

4 Disposez
ces petites brochettes dans des bols, ajoutez les tomates cerises et les billes de mozzarella, puis dégustez !

Ce bol est aussi idéal pour un déjeuner à emporter dans une petite boîte.

Notes : ....

....

....

SAUCISSES,
pâtes torsades et brocolis

Pour 4 personnes

Préparation : 5 min

Cuisson : 15 min

4 saucisses

350 g de pâtes torsades

300 g de brocolis

Le jus de 1/2 citron

Sel

1 Faites cuire
les brocolis à la vapeur 15 minutes.

2 Faites cuire
les pâtes dans un grand volume d'eau bouillante salée.

3 Faites cuire
les saucisses dans une poêle.

4 Disposez
les pâtes et les brocolis dans les bols et versez quelques gouttes de jus de citron. Ajoutez, pour finir, les saucisses que vous aurez découpées en morceaux.

Notes : ....

....

....

Les plus jeunes adorent les saucisses.
Les associer à des brocolis permettra peut-être
de leur faire aimer davantage ce légume vert.

4 tranches de pain de mie

4 tranches de fromage
à croque-monsieur

2 tranches de jambon

1 concombre

Beurre

Sel

Pour la purée :
6 carottes

1 pomme de terre

2 cuil. à soupe de crème
fraîche épaisse

1 cuil. à café de cumin

Sel

Notes : ....

....

....

TRIANGLE
de croque-monsieur et purée de carottes

1 Préchauffez
le four à 190 °C (th. 6-7).

2 Commencez
par laver et éplucher les carottes et la pomme de terre pour les mettre à cuire 10 à 15 minutes dans une casserole avec de l'eau.

3 Beurrez
les 4 tranches de pain de mie sur une seule face. Posez 1 tranche de fromage sur 2 tranches de pain de mie, puis recouvrez avec 2 autres tranches de fromage et de pain. Enfournez pour 12 minutes.

4 Écrasez
les légumes avec la crème fraîche, du sel et le cumin jusqu'à l'obtention d'une purée lisse. Lavez et découpez le concombre en bâtonnets.

5 Déposez
la purée dans chaque bol, ajoutez quelques bâtonnets de concombre ainsi que les croque-monsieur préalablement coupés en quatre (en triangle).

Vous pouvez **ajoutez** quelques noix de **cajou** concassées sur la purée.

WRAP, PURÉE
d'aubergines, courgettes

Pour 4 personnes
Préparation : 20 min
Cuisson : 18 min

4 tortillas de maïs

200 g de fromage frais

4 tranches de jambon

2 petites courgettes

1 cuil. à soupe d'huile d'olive

2 cuil. à café de graines de sésame

1 cuil. à café de curry

Pour la purée d'aubergines :
1 aubergine

1 tomate

Le jus de 1 citron

1 gousse d'ail

2 cuil. à café d'huile d'olive

Sel

1 Épluchez, puis égrainez l'aubergine avant de la découper en dés. Arrosez de la moitié du jus de citron et laissez reposer 20 minutes.

2 Mettez la tomate dans de l'eau bouillante salée quelques secondes, puis égouttez-la et épluchez-la avant de la couper en dés.

3 Tartinez les tortillas de maïs de fromage frais, puis placez 1 tranche de jambon sur chaque tortilla et roulez. Coupez les wraps en deux.

4 Faites cuire les dés d'aubergine 10 minutes à la vapeur. Lavez les courgettes et coupez-les en petits dés avant de les faire cuire 8 minutes à la poêle avec l'huile d'olive et le curry.

5 Égouttez et mixez les dés d'aubergine avec les dés de tomate, l'huile d'olive, l'ail et le jus de citron restant jusqu'à l'obtention d'une purée. Placez-la dans des petits ramequins.

6 Disposez les wraps dans les bols avec les courgettes, puis le ramequin de purée d'aubergines saupoudré de sésame et servez !

Notes : ....

....

....

Vous pouvez **remplacer** les tortillas de **maïs**
par des tortillas de **blé** ou des galettes de sarrasin.

Pour 4 personnes
Préparation : 15 min
Cuisson : 15 min

2 blancs de poulet

1 œuf

1 cuil. à soupe de farine

2 cuil. à soupe de chapelure

320 g de petits pois

500 g de pommes de terre

150 g de concentré
de tomate

10 cl de vinaigre

10 morceaux de sucre

1 cuil. à café d'herbes
de Provence

3 cuil. à soupe d'huile d'olive

Sel

Notes : ....

....

....

POULET PANÉ
et petits pois

1 Faites cuire les petits pois 15 minutes dans un grand volume d'eau bouillante salée. Préchauffez le four à 180 °C (th. 6).

2 Lavez et coupez en huit les pommes de terre, mettez-les sur une plaque de cuisson et badigeonnez-les d'huile d'olive puis d'herbes de Provence et de sel. Enfournez pour 15 minutes environ.

3 Mélangez dans un bol le vinaigre et le sucre. Ajoutez le concentré de tomate, salez et réservez au frais le temps de préparer le reste des ingrédients.

4 Découpez chaque blanc de poulet en 4 morceaux. Dans une assiette creuse, battez l'œuf et salez. Dans une deuxième assiette, versez la farine. Dans une troisième, déposez la chapelure. Trempez les morceaux de poulet dans la farine, puis l'œuf et enfin la chapelure. Versez le reste d'huile d'olive dans une grande poêle et faites cuire les morceaux de poulet 4 minutes de chaque côté.

5 Déposez dans les bols les petits pois, les morceaux de poulet panés, puis les potatoes. Vous pouvez déguster le tout avec le ketchup maison !

Vous pouvez garder le ketchup maison une dizaine de jours au réfrigérateur.

CROQUETTES
de courgette, Ebly® sauce tomate, dés de fromage

Pour 4 personnes

Préparation : 15 min

Cuisson : 20 min

1 courgette

1 œuf

1 cuil. à soupe de farine

250 g de blé typé Ebly®

3 tomates

80 g de mimolette

1 gousse d'ail

2 cuil. à soupe d'huile d'olive

Sel

Notes : ....

....

....

1 Commencez par faire cuire l'Ebly® dans de l'eau salée frémissante pendant 15 à 20 minutes.

2 Lavez et épluchez la courgette, puis râpez-la et mettez-la dans un saladier. Ajoutez l'œuf, la farine, salez et mélangez. Faites chauffer une poêle avec 1 cuillerée à soupe d'huile d'olive. Réalisez les boulettes à l'aide d'une cuillère à soupe et mettez-les à cuire dans la poêle 5 minutes de chaque côté à feu doux.

3 Mettez une seconde poêle à chauffer. Pendant qu'elle chauffe, lavez et épluchez les tomates, puis concassez-les. Ajoutez l'huile restante dans la poêle et jetez les tomates pour qu'elles fondent à feu doux. Hachez l'ail finement et ajoutez-le aux tomates.

4 Coupez la mimolette en dés.

5 Dressez les bols en commençant par l'Ebly®, puis versez la sauce tomate. Ajoutez ensuite les croquettes de courgette et enfin quelques dés de mimolette.

Ces **croquettes** sont une bonne façon
de faire manger des **courgettes**
aux **petits** qui n'en raffolent pas.

TORTIS
trois couleurs, tomate à la provençale, boulettes de viande

Pour 4 personnes

Préparation : 10 min

Cuisson : 30 min

350 g de tortis trois couleurs

250 g de viande hachée
à 5 % de MG

2 tomates

1/2 gousse d'ail

2 cuil. à soupe d'huile d'olive

4 cuil. à soupe de chapelure

1 cuil. à café d'origan

1 cuil. à café de paprika

Sel, poivre

Notes : ....

....

....

1 Préchauffez
le four à 210 °C (th. 7).
Faites cuire les pâtes dans un
grand volume d'eau bouillante
salée.

2 Coupez
les tomates en deux
et placez-les dans un plat
légèrement huilé.

3 Hachez
l'ail et mettez-le dans
un bol. Ajoutez la chapelure,
1 pincée de sel, de poivre
et l'origan. Parsemez ensuite
chacune des moitiés de
tomates de cette chapelure
avant de verser quelques
gouttes d'huile d'olive. Mettez
un peu d'eau au fond du plat
et enfournez pour 30 minutes.

4 Mélangez
la viande hachée
et le paprika et formez
12 boulettes environ,
piquez-les sur des piques
à mini-brochettes
et faites-les cuire 5 minutes
dans une poêle antiadhésive.

5 Disposez
dans chaque bol
des tortis, 1 tomate
à la provençale, puis les
boulettes de viande.

Végétarien

BOULETTES
de fromage de chèvre aux amandes

Pour 4 personnes
Préparation : 15 min
Cuisson : 10 min

200 g de chèvre frais

60 g d'amandes effilées

400 g de pois gourmands

1/4 pastèque

1 cuil. à soupe d'huile d'olive

1 Rincez
les pois gourmands à l'eau et faites-les cuire dans une poêle à feu moyen avec l'huile d'olive et 2 cuillerées à soupe d'eau pendant 10 minutes.

2 Confectionnez
les boulettes de fromage de chèvre à l'aide de deux cuillères à café.

3 Faites griller
les amandes effilées sans ajout de matières grasses, concassez-les et déposez-les dans une petite assiette.

4 Faites rouler
les boulettes dans les amandes pour les recouvrir.

5 Coupez
la pastèque en petits morceaux triangulaires.

6 Commencez
par mettre dans les bols les pois gourmands, puis disposez les boulettes de fromage de chèvre et les triangles de pastèque !

*Servez vos **enfants** et ajoutez sur votre propre bol les épices ou des herbes **fraîches** dont eux ne raffolent pas.*

Notes : ....

....

....

CREVETTES
et boulettes de riz

Pour 4 personnes

Préparation : 10 min

Cuisson : 25 min

Repos : 20 min

350 g de crevettes

240 g de riz rond

500 g de haricots verts

1 gousse d'ail

1 noisette de beurre

Le jus de 1/2 citron

2 cuil. à soupe d'huile d'olive

1 cuil. à soupe de graines de sésame noir

Sel

Notes : ....

....

....

1 Faites cuire les haricots verts pendant une dizaine de minutes dans l'eau bouillante. Mixez ensuite les haricots verts avec la gousse d'ail finement hachée, le beurre et un peu de sel.

2 Faites cuire le riz 12 minutes dans deux fois son volume d'eau bouillante salée. Égouttez-le et laissez-le refroidir avant de faire des boulettes à l'aide de deux cuillères à café. Faites-les ensuite griller dans une poêle légèrement huilée.

3 Faites cuire les crevettes dans une poêle à feu moyen avec 1 filet d'huile d'olive et 1 filet de jus de citron pendant 5 minutes.

4 Dressez les bols en commençant par mettre la purée de haricots verts, puis les boulettes de riz. Ajoutez les crevettes et saupoudrez à votre guise de graines de sésame !

Ce joli bol devrait plaire à toute la famille.

Végétarien

SPAGHETTIS
de carottes, pignons de pin, riz, guacamole

Pour 4 personnes

Préparation : 10 min

Cuisson : 15 min

5 carottes

1 cuil. à soupe de pignons de pin

250 g de riz 3 couleurs

Sel

Pour le guacamole :

1 avocat

1/2 tomate

Quelques gouttes de citron vert

1 cuil. à soupe de yaourt

Sel

Notes : ....

....

....

1 Faites cuire le riz dans un grand volume d'eau bouillante salée, puis égouttez-le.

2 Réalisez le guacamole. Coupez l'avocat en deux, retirez le noyau et récupérez la pulpe à l'aide d'une cuillère. Placez celle-ci dans un bol et écrasez-la. Ajoutez le jus de citron vert, le yaourt ainsi que la tomate coupée en dés. Salez et écrasez à nouveau à l'aide d'une fourchette.

3 Pelez les carottes et réalisez des spaghettis avec un taille-légume (ou un Économe). Faites-les cuire 1 minute dans une casserole d'eau bouillante salée.

4 Faites griller les pignons de pin dans une poêle sans ajout de matière grasse.

5 Versez ces spaghettis dans les bols, ajoutez le riz, puis le guacamole. Parsemez le tout de pignons de pin grillés.

Vous pouvez réaliser des **spaghettis** de courgettes, de pommes de terre ou encore de patate **douce.**

KIWI,
mangue, yaourt et céréales

Pour 4 personnes
Préparation : 5 min

2 kiwis

1/2 mangue

4 yaourts nature

60 g de muesli aux graines

1 Pelez
la mangue, puis les kiwis et coupez-les en petits morceaux.

2 Versez
dans chaque bol le yaourt, disposez les fruits et ajoutez le muesli aux graines.

Notes : ....

....

....

Pour les soirs où vous n'avez vraiment pas envie de cuisiner, remplacez le dîner par un bol petit déjeuner pour le plus grand plaisir des enfants.

BANANE,
amande, porridge, fraises

Pour 4 personnes

Préparation : 10 min

Cuisson : 10 min

1 banane

1 poignée d'amandes

100 g de flocons d'avoine

50 cl de lait

2 cuil. à soupe de sirop d'agave

Une dizaine de fraises

1 Lavez et équeutez les fraises, coupez-les en deux. Épluchez et coupez la banane en rondelles.

2 Mettez les flocons d'avoine et le lait dans une casserole à feu doux, mélangez avec une cuillère en bois jusqu'à épaississement, ajoutez le sirop d'agave et retirez du feu.

3 Versez dans les bols, ajoutez des rondelles de banane, des morceaux de fraise et des amandes.

En hiver, remplacez les fraises par des raisins secs si vos enfants les aiment.

Notes : ....

....

....

MESURES *utiles*

1 NOISETTE DE BEURRE =
4 grammes

1 NOIX DE BEURRE =
15 grammes

1 CUILLÈRE À SOUPE

= **15** grammes de sucre, farine ou beurre

= **12** grammes de crème fraîche ou huile

= **1,5** cl de liquide

= **3** cuillères à café

1 CUILLÈRE À CAFÉ

= **5** grammes de sel, sucre ou beurre

= **7** grammes d'huile

= **0,5** cl de liquide

= **5** grammes de farine ou de semoule

1 PINCÉE DE SEL =
0,3 à **0,5** gramme

1 MORCEAU DE SUCRE =
5 grammes

Économat

Dans le placard

Sels (sel fin, gros sel, fleur de sel, sels aromatisés) et poivres (noir ou exotique)

Huiles de goût neutre (maïs, tournesol, colza) ou parfumées (olive, noix…)

Vinaigres (blanc, rouge, balsamique, xérès, cidre…)

Lait (entier, allégé ou écrémé)

Crème liquide

Sucres (sucre semoule blanc ou roux, sucre glace)

Sauces asiatiques (soja, hoisin, teriyaki…)

Farine

Levure chimique

Cacao en poudre

Plaquettes de chocolat

Aides culinaires : bouillons et courts-bouillons déshydratés en cubes et en tablettes, gelée alimentaire en feuilles ou en poudre, fonds de veau ou de volaille, Maïzena®

Vanille (extrait ou gousse)

Riz, pâtes, semoules et céréales

Herbes

Épices

Fruits secs

Graines (sésame, lin, tournesol…)

Tomates en conserve

Ail, échalote, oignons et pommes de terre

Températures du four

Thermostat	Température approximative
1	**30 °C** (à peine tiède)
2	**60 °C** (tiède)
3	**90 °C** (chaleur très douce)
4	**120 °C** (chaleur douce)
5	**150 °C** (chaleur modérée)
6	**180 °C** (chaleur moyenne)
7	**210 °C** (assez chaud)
8	**240 °C** (chaud)
9	**270 °C** (très chaud)
10	**300 °C** (chaleur vive)

Dans le réfrigérateur

Œufs
Beurre
Pâtes prêtes à l'emploi
Moutardes
Herbes fraîches
Gruyère et parmesan râpés

Dans le congélateur

Herbes
Plats cuisinés
Légumes

Super pratique !

TABLE *des recettes*

ANNEXES **189**

INDEX

Merci à Didier, Marjorie et Diane pour leur confiance et leurs conseils.
Merci à Audrey Sebilleau pour son aide précieuse.

**Recettes et stylisme :
Émilie Laraison**

Retrouvez Émilie sur son site http://www.stylisme-culinaire.fr/

Directeur éditorial : **Didier Férat**
Édition : **Marjorie Goussu**
Graphisme et conception : **Julia Philipps/Stéphanie Aparicio**
Conception de la couverture : **Élodie Chaillous** / Adaptation : **Stéphanie Aparicio**
Fabrication : **Laurence Duboscq**
Photogravure : **Nord Compo**

© Éditions Solar, Paris, 2018

Solar | un département **place des éditeurs**

place
des
éditeurs

ISBN : 978-2-263-15402-7
Code éditeur : S15402
Dépôt légal : janvier 2018
Achevé d'imprimer en France par Imprimerie de Champagne